UMA DOBRA NO TEMPO

UMA DOBRA

MADELEINE L'ENGLE

NO TEMPO

livro 1

tradução
ÉRICO ASSIS

Rio de Janeiro, 2024

Copyright © 1962 by Crosswicks, Ltd.
Título original: A Wrinkle in Time

Direitos de edição da obra em língua portuguesa no Brasil adquiridos pela Harper Collins Brasil, um selo da Casa dos Livros Editora LTDA. Todos os direitos reservados. Nenhuma parte desta obra pode ser apropriada e estocada em sistema de banco de dados ou processo similar, em qualquer forma ou meio, seja eletrônico, de fotocópia, gravação etc., sem a permissão do detentor do copyright.

Rua da Quitanda, 86, sala 601A – Centro – 20091-005
Rio de Janeiro – RJ
Tel.: (21) 3175-1030

Diretora editorial: Raquel Cozer
Gerente editorial: Alice Mello
Editor: Ulisses Teixeira
Copidesque: Natália Klussmann
Revisão: Thaís Lima
Capa: Maquinaria Studio
Projeto gráfico e diagramação de miolo: Julio Moreira | Equatorium

---

CIP-Brasil. Catalogação na Publicação
Sindicato Nacional dos Editores De Livros, RJ

L'Engle, Madeleine, 1918-2007
 Uma dobra no tempo / Madeleine L'Engle ; tradução Érico Assis. - 1. ed. - Rio de Janeiro : HarperCollins , 2017.
 240 p. : il. ; 15 cm. (Uma dobra no tempo ; 1)

Tradução de: A wrinkle in time
Continua com: um vento à porta
ISBN 978-85-9508-175-8

 1. Ficção infantojuvenil americana. I. Assis, Érico. II. Título. III. Série.

17-44676   CDD: 028.5
                 CDU: 087.5

Para Charles Wadsworth Camp
e Wallace Collin Franklin

SUMÁRIO

9	1.	Sra. Quequeé
27	2.	Sra. Quem
43	3.	Sra. Qual
61	4.	A Coisa Escura
79	5.	O Tesserato
95	6.	A Médium Contente
117	7.	O Homem dos Olhos Vermelhos
135	8.	A Coluna Transparente
147	9.	AQUELE
165	10.	Zero Absoluto
179	11.	Tia Criatura
195	12.	Os Tolos e os Fracos
215		O Discurso de Agradecimento pela Medalha Newbery: O Universo em Expansão
223		Posfácio

1

Sra. Quequeé

Era uma noite escura e tempestuosa.

Margaret Murry estava no seu quarto, que ficava no sótão, enrolada na velha colcha de retalhos, sentada ao pé da cama e assistindo às árvores que se agitavam, açoitadas pelo vento. Por trás das árvores, nuvens frenéticas cruzavam o céu. De quando em quando via-se a lua, que criava sombras espectrais a correr pelo assoalho.

A casa tremia.

Meg, enrolada na colcha, tremia.

Ela não costumava ter medo dos elementos. *Não é só a meteorologia*, ela pensou. *É o tempo, acima de tudo. Acima de mim. Acima de mim, Meg Murry, que faço tudo errado.*

O colégio. Tudo no colégio estava errado. Ela tinha decaído até o último patamar da turma. Naquela manhã, uma de suas professoras resmungou com ela:

— Sinceramente, Meg. Não sei como uma criança com pais tão geniais pode ser tão fraca nos estudos. Se as suas notas não melhorarem, você vai ter que repetir de ano.

Na hora do almoço, ela havia brincado pesado para se sentir melhor, e uma das meninas implicou:

— Afinal de contas, Meg, não estamos mais na quarta série. Por que você continua se comportando como um bebê?

Então, a caminho de casa, seguindo pela estrada com os braços abarrotados de livros, um menino veio falar qualquer coisa a respeito do "irmãozinho lerdo" dela. No mesmo instante, ela jogou os livros no chão e atacou o menino com toda a força. Chegou em casa com a blusa rasgada e um roxão embaixo do olho.

Sandy e Dennys, seus irmãos gêmeos de dez anos, haviam chegado em casa uma hora antes e ficaram indignados.

— Quando precisar, deixe que *nós* brigamos — disseram-lhe eles.

Uma delinquente, é isso que eu sou, pensou Meg, desanimada. *Isso que vão começar a dizer. Não a Mãe. Eles. Todos os Outros. Queria que o Pai...*

Mas ainda não havia como pensar no pai sem risco de lágrimas. Era só a sua mãe que conseguia falar nele de modo natural. Ela dizia:

— Quando seu pai voltar...

Voltar de onde? E quando? Era certo que a mãe sabia do que os outros vinham falando, que estava a par das fofocas metidas e maldosas. Claro que esse falatório magoava tanto a ela quanto a Meg. Mas ela não deixava nada transparecer. Nada abalava a serenidade de seu semblante.

Por que eu não consigo esconder também?, Meg pensou. *Por que sempre tenho que mostrar tudo que eu sinto?*

A janela sacudia loucamente por conta do vento. Ela cobriu-se mais com a colcha. Um gatinho, uma bola de pelos cinzentos enrolada numa das almofadas, bocejou, esticou a língua rosada, acomodou a cabeça de novo e voltou a dormir.

Todos estavam dormindo. Todos, exceto a Meg. Até Charles Wallace, o "irmãozinho lerdo" que tinha aquela capacidade excepcional de saber quando ela estava acordada e quando estava descontente, e que tantas noites subira a escada na ponta dos pés para acudi-la — até Charles Wallace continuava dormindo.

Como que eles conseguiam? O rádio havia passado o dia dando alertas de furacão. Como conseguiam deixá-la no sótão, naquela cama bamba de latão, sabendo que o vento podia arrancar o telhado da casa? Que ela podia ser arremessada ao insano céu noturno e ir parar sabe-se lá onde?

Sua tremedeira ficou incontrolável.

Você que pediu o quarto do sótão, ela falou, com raiva, para si mesma. *A Mãe deixou que ficasse porque você é a mais velha. É um privilégio, não um castigo.*

— Na hora do furacão, não é privilégio — disse ela, dessa vez em voz alta. Jogou a colcha no pé da cama e se levantou. O gatinho se espreguiçou com gosto e fitou-a com olhos tão grandes quanto inocentes.

— Pode dormir de novo — disse Meg. — Agradeça por ser um gatinho e não uma monstra que nem eu. — Ela se olhou no espelho do guarda-roupa e fez uma carranca, exibindo os dentes cobertos pelo aparelho. Ajeitou automaticamente os óculos, passou os dedos pelo cabelo castanho-acinzentado para deixar as pontas bagunçadas de pé e soltou um suspiro tão sonoro quanto o vento.

Seus pés descalços sentiram o frio nas tábuas largas do piso. O vento soprava pelas frestas da janela, apesar da proteção extra contra tempestades que o caixilho deveria oferecer. Ela ouvia o vento uivando nas chaminés. Ouvia, lá do andar de baixo, Fortinbrás, o cachorrão preto, começando a latir. Ele também devia estar assustado. Mas por que latia? Fortinbrás nunca latia sem motivo.

De repente ela se lembrou que, quando passara no correio para buscar a correspondência, ouviu falar de um andarilho que supostamente havia roubado doze lençóis da Sra. Buncombe, a esposa do chefe de polícia. Ainda não haviam encontrado o indigente. E se ele estivesse de olho na casa dos Murry, já que era isolada de quase tudo? Desta vez, quem sabe, ele podia querer mais que só lençóis. Na hora, Meg não prestou muita atenção na conversa sobre o andarilho porque a atendente do correio, com seu sorrisinho açucarado, perguntou se ela tinha notícias do pai.

Ela deixou seu quartinho e foi trilhando as sombras do sótão. Deu um encontrão na mesa de pingue-pongue. *Agora, além de tudo, vou ficar com um roxão na coxa*, pensou.

Em seguida, ela pisou na própria casa de bonecas, no cavalinho de Charles Wallace, no ferrorama dos gêmeos.

— Por que tudo isso acontece comigo? — perguntou ela a um ursão de pelúcia.

Depois de descer a escada, ela ficou parada e atenta. Não se ouvia barulho algum vindo do quarto de Charles Wallace, à direita. À esquerda, no quarto dos pais, nem um ruído da mãe, que dormia sozinha na ampla cama de casal. Ela seguiu pelo corredor na ponta dos pés e espiou o quarto dos gêmeos, ajustando os óculos mais uma vez, como se eles fossem ajudá-la a enxergar no escuro. Dennys roncava. Sandy balbuciou alguma coisa sobre beisebol e ficou quieto. Os gêmeos não tinham problemas. Não eram os melhores alunos da sala, mas também não iam mal. Estavam satisfeitos com uma sucessão de Bs e, vez por outra, um A ou um C. Eram fortes, bons corredores, bons nos esportes e, quando alguém fazia uma piadinha com a família Murry, nunca era com Sandy e Dennys.

Ela deixou o quarto dos gêmeos e continuou a descer a escada. Evitou o sétimo degrau, o que rangia. Fortinbrás havia parado de latir. Então não era o andarilho, pelo menos não desta vez. Se houvesse alguém por ali, Fortin seguiria latindo.

Mas e se o andarilho vier? E se ele tiver uma faca? Ninguém mora aqui por perto e ninguém nos ouviria gritar sem parar. E de qualquer jeito, ninguém ia dar bola.

Vou fazer um chocolate, ela decidiu. *Assim eu me animo. E, se o furacão arrancar o telhado, pelo menos eu não vou junto.*

Já havia uma luz acesa na cozinha. Charles Wallace estava sentado à mesa bebendo leite e comendo pão com geleia. Ali, sentado, sozinho, naquela cozinha grande e antiquada, ele parecia uma coisa minúscula e indefesa. Um garotinho loiro com seu pijama Dr. Dentons azul desbotado, os pés pendendo a pelo menos quinze centímetros do chão.

— Oi — disse ele, todo alegre. — Estava esperando por você.

Debaixo da mesa, aos pés de Charles Wallace, torcendo por uma ou duas migalhas, Fortinbrás ergueu a cabeça esguia e escura para receber Meg, o rabo batendo no chão. Fortinbrás aparecera na porta deles numa noite de inverno, ainda quase um filhote, mirrado e abandonado. Conforme a conclusão do Pai, era uma cruza de *setter* com galgo. Sua beleza negra e esbelta era só sua.

— Por que você não subiu no sótão? — perguntou Meg ao irmão, falando como se ele tivesse pelo menos a idade dela. — Eu estava morrendo de medo.

— Venta muito no seu sótão — disse o garotinho. — Sabia que você ia descer. Coloquei um pouco de leite no fogão pra você. Já deve estar quente.

Como é que Charles Wallace sempre sabia tudo que se passava com ela? Como ele adivinhava? Ele nunca sabia — ou não dava bola para — o que pensavam Dennys e Sandy. Quanto às mentes da mãe e de Meg, por outro lado, era como se ele conseguisse sondá-las com precisão assustadora.

Seria o medo que fazia as pessoas cochicharem sobre o filho mais novo dos Murrys, dizendo que ele não era muito esperto?

"Ouvi dizer que gente brilhante tem filhos abaixo da média", Meg já entreouvira. "Os dois garotos parecem crianças de bem, normais. Mas a feiosinha e o bebê não batem bem."

Sim, Charles Wallace raramente falava se houvesse outras pessoas por perto. Era por isso que muitos achavam que ele nunca aprendera a falar. E sim, ele só abrira a boca para falar com quase quatro anos. Meg ficava em fúria ardente quando pessoas olhavam para ele com cara de reprovação, balançando a cabeça com a cara triste.

— Não se preocupe com o Charles Wallace, Meg — dissera seu pai uma vez. Meg se lembrava muito bem, porque havia sido pouco antes de ele ir embora. — Não há nada de errado com a cabecinha dele. É que ele faz tudo a seu modo e a seu tempo.

— Não quero que ele cresça e fique lerdo que nem eu — dissera Meg.

— Ah, minha querida, mas você não é lerda — respondera o pai. — Você é igual ao Charles Wallace. O desenvolvimento de vocês tem que ser no ritmo próprio. E, por acaso, não é o ritmo normal.

— Como que o senhor *sabe*? — insistiu Meg. — Como *sabe* que eu não sou lerda? Não é só porque me ama?

— Eu amo você, mas não é por isso que eu sei. A Mãe e eu fizemos testes com vocês, lembra?

Sim, era verdade. Meg percebera que alguns dos "jogos" que brincava com os pais eram algum tipo de teste e também que faziam mais desses testes com ela e Charles Wallace do que com os gêmeos.

— Testes de QI, o senhor quer dizer?
— Sim, alguns eram.
— O meu QI é bom?
— Mais que bom.

— Quanto é?

— Isso eu não vou dizer. Mas ele me garante que tanto você quanto Charles Wallace poderão fazer praticamente o que quiserem quando forem grandes. Espere só até Charles Wallace começar a falar. Você vai ver.

E ele estava muito certo, embora tivesse partido antes de Charles Wallace começar a falar. O garotinho começou de uma hora para outra, sem as preliminares normais de um bebê, direto em frases completas. Que orgulho o Pai teria!

— É melhor você ver o leite — disse Charles Wallace a Meg, no presente, com a dicção mais clara e concisa do que a maioria das crianças de cinco anos. — Você sabe que não gosta quando forma uma camada em cima.

— Você serviu mais que o dobro de leite que precisava. — Meg espiou na panela.

Charles Wallace apenas concordou, sereno.

— Achei que a Mãe também ia gostar.

— Eu ia gostar do quê? — disse uma voz. Lá estava a mãe dos dois, parada na porta.

— De um chocolate quente — disse Charles Wallace. — Você quer um sanduíche de cream cheese com salsicha de fígado? Posso preparar um para você.

— Seria excelente — disse a Sra. Murry —, mas posso fazer, se você estiver ocupado.

— Sem problema. — Charles Wallace desceu da cadeira e foi de trote até a geladeira, os pés do pijama tocando o chão suavemente, como patinhas de gato. — E você, Meg? — perguntou ele. — Sanduíche?

— Sim, por favor — disse ela. — Mas sem salsicha. Temos tomate?

Charles Wallace espiou o compartimento de legumes da geladeira.

— Só um. Tudo bem se eu usar no sanduíche da Meg, Mãe?

— E que uso melhor ele teria? — A Sra. Murry sorriu. — Mas fale mais baixo, Charles, por favor. Quer dizer, a não ser que você queira que os gêmeos desçam também.

— Vamos continuar na nossa privacidade — disse Charles Wallace. — Essa é a palavra que eu aprendi hoje. Impressionante, não é?

— Estupenda — disse a Sra. Murry. — Meg, deixe eu ver esse roxão.

Meg se ajoelhou aos pés da mãe. O aconchego e a iluminação da cozinha haviam deixado-a tão tranquila que seu medo do sótão havia passado. O chocolate exalava um vapor perfumado da panela; gerânios brotavam do parapeito das janelas; havia um buquê de minicrisântemos amarelos no meio da mesa. As cortinas, vermelhas com desenhos geométricos em azul e verde, estavam fechadas, e pareciam refletir a alegria no recinto. O forno ronronava como um grande animal adormecido; as luzes irradiavam um brilho constante; lá fora, na solidão do escuro, o vento ainda assolava a casa. Mas aquela potência raivosa que assustara Meg quando ela estava sozinha no sótão fora vencida pelo aconchego familiar da cozinha. Sob a cadeira da Sra. Murry, Fortinbrás soltou um suspiro de contentamento.

A Sra. Murry tocou delicadamente a bochecha machucada de Meg. A filha olhou para a mãe, em parte com admiração amorosa, em parte com ressentimento emburrado. Não era uma vantagem ter uma mãe que era cientista e linda. Os cabelos ruivos flamejantes da Sra. Murry, sua pele cremosa e seus olhos violeta com longos cílios escuros ficavam ainda mais espetaculares quando comparados à sem-gracice ultrajante da filha. O cabelo de Meg só era aceitável quando ela o usava bem preso e com tranças. Quando entrou no ensino médio o deixara curto. Agora Meg e a mãe lutavam para lhe dar jeito, mas um lado saía crespo, e o outro, liso. E assim ela ficara ainda mais sem graça que antes.

— Você não sabe o que é ser comedida, não é, querida? — perguntou a Sra. Murry. — Eu me pergunto se um dia você vai chegar a um *medium*, a um meio-termo que a deixe *contente*. Foi um roxão feio, esse que o menino dos Henderson deixou em você. A propósito, a mãe dele me telefonou pouco antes de você ir para a cama e reclamou do quanto você o machucou. Eu respondi que, como ele tem um ano e pelo menos dez quilos a mais, quem deveria reclamar era eu. Mas, aparentemente, ela achava que a culpa era toda sua.

— Eu acho que depende do ponto de vista — disse Meg. — O normal é que, independente do que acontecer, as pessoas sempre vão achar que a culpa é minha, mesmo que eu não tenha nada a ver com a situação. Mas peço desculpas por ter entrado numa briga com ele. É que essa semana foi horrível. E eu estou cheia de sensações ruins.

A Sra. Murry mexeu nos cabelos desgrenhados de Meg.

— E sabe por quê?

— Eu *odeio* ser a estranhinha — disse Meg. — É difícil pro Sandy e pro Dennys também. Não sei se eles são iguais a todo mundo ou só fingem. Eu tento fingir, mas não funciona.

— Você é muito sincera para fingir que é o que não é — disse a Sra. Murry. — Desculpe, Megleta. Se o Pai estivesse aqui, quem sabe ele pudesse ajudar. Mas acho que não tenho o que fazer, fora pedir que aguente mais um pouco. Então, tudo vai ser mais fácil. Mas isso não ajuda muito agora, não é?

— Quem sabe se a minha cara não fosse tão horrenda... se eu fosse bonita que nem você...

— A Mãe não é nem um pouco bonita; ela é linda — pronunciou-se Charles Wallace enquanto fatiava a salsicha de fígado. — E por isso, eu aposto que ela era medonha na sua idade.

— E está muito certo — disse a Sra. Murry. — Espere mais um pouco, Meg.

— Quer alface no seu sanduíche, Mãe? — perguntou Charles Wallace.

— Não, obrigada.

Ele cortou o sanduíche, arrumou no prato e serviu à mãe.

— O seu sai em um minuto, Meg. Acho que vou falar de você à Sra. Quequeé.

— Quem é a Sra. Quequeé? — perguntou Meg.

— Acho que vou passar mais algum tempo com ela na minha privacidade — disse Charles Wallace. — Quer tempero de cebola?

— Sim, por favor.

— O que quer dizer Sra. Quequeé? — perguntou a Sra. Murry.

— É o nome dela — respondeu Charles Wallace. — Sabe a casa velha na floresta, aquela que as crianças não chegam perto porque dizem que é assombrada? É lá que elas moram.

— Elas?

— A Sra. Quequeé e suas duas amigas. Eu estava passeando com Fortinbrás uns dias atrás... você e os gêmeos estavam no colégio, Meg. Nós gostamos de caminhar pela floresta. De repente, ele saiu em disparada atrás de um esquilo, eu disparei atrás dele e fomos parar na casa assombrada. Acabei conhecendo as três por acidente, pode-se dizer.

— Mas ninguém mora naquela casa — disse Meg.

— Sim, moram a Sra. Quequeé e as amigas. E elas são muito agradáveis.

— Por que não me contou isso antes? — perguntou a Sra. Murry. — E você sabe que não tem permissão para sair de perto de casa, Charles.

— Eu sei — disse Charles. — Um dos motivos pelos quais não contei. Saí correndo atrás de Fortinbrás sem pensar. E então decidi que, enfim, melhor guardá-las para uma emergência.

Uma nova rajada de vento acometeu a casa, fazendo-a tremer. Então, de repente, a chuva começou a açoitar as janelas.

— Acho que não estou gostando desse vento — disse Meg, nervosa.

— Com certeza vamos perder umas telhas — disse a Sra. Murry. — Mas esta casa está de pé há quase duzentos anos e acho que vai durar um pouco mais, Meg. Essa colina já passou por muitas ventanias.

— Mas é um furacão! — berrou Meg. — A rádio não parava de dizer que era um furacão!

— Estamos no outono — respondeu a Sra. Murry. — Já tivemos tempestades de outono.

Enquanto Charles Wallace entregava o sanduíche a Meg, Fortinbrás saiu de baixo da mesa. Soltou um grunhido baixo e prolongado, e a família viu o pelo negro se eriçar nas suas costas. Meg sentiu até a própria pele se eriçar.

— Qual é o problema? — perguntou ela, nervosa.

Fortinbrás ficou olhando para a porta que dava para o laboratório da Sra. Murry, que ficava na antiga despensa para queijos conjugada à cozinha. Passando o laboratório, outra despensa levava para a rua, embora a Sra. Murry tivesse sido bastante clara ao instruir a família para entrar na casa sempre pela porta da garagem ou da frente, nunca pelo laboratório. Mas era para a porta do laboratório, não da garagem, que Fortinbrás rosnava.

— Por acaso a senhora não deixou um composto químico fedorento cozinhando no bico de Bunsen, deixou, Mãe? — perguntou Charles Wallace.

A Sra. Murry pôs-se de pé.

— Não. Mas, de qualquer modo, é bom ir ver o que está incomodando tanto o Fortin.

— É o andarilho, tenho certeza que é o andarilho — disse Meg, nervosa.

— Que andarilho? — perguntou Charles Wallace.

— No correio, hoje à tarde, estavam dizendo que um andarilho roubou todos os lençóis da Sra. Buncombe.

— Então é melhor prendermos nossas fronhas — disse a Sra. Murry, com toda calma. — Imagino que nem mesmo um andarilho sairia por aí numa noite dessas, Meg.

— Mas deve ser justamente por isso que ele *saiu por aí* — gritou Meg. — Para encontrar um lugar que *não* seja lá fora.

— Se for o caso, ofereço o celeiro para ele passar a noite.

A Sra. Murry caminhou decidida até a porta.

— Eu vou junto.

A voz de Meg saiu estridente.

— Não, Meg. Você vai ficar com Charles e terminar seu sanduíche.

— Sanduíche! — Meg exclamou enquanto a Sra. Murry ia ao laboratório. — Como ela acha que eu vou conseguir comer?

— A Mãe sabe cuidar de si — disse Charles. — Em termos corporais, digo.

Mas ele estava sentado no lugar do pai à mesa e seus pés batiam nas pernas da cadeira; e Charles Wallace, diferente da maioria das crianças pequenas, tinha a capacidade de se sentar e ficar quieto.

Depois de alguns instantes que, para Meg, pareceram uma eternidade, a Sra. Murry retornou, segurando a porta aberta para... aquele era o andarilho? Parecia pequeno demais para o que Meg imaginava que fosse um andarilho. Era impossível dizer sua idade ou sexo, pois o ser estava totalmente coberto pelas roupas. Eram lenços diversos e de cores variadas amarrados na cabeça, mais um chapéu masculino de feltro empoleirado no topo. Um cachecol rosa-choque fazia um nó em cima de um sobretudo áspero. Botas de borracha preta cobriam os pés.

— Sra. Queaueé — falou Charles com tom desconfiado —, o que está fazendo aqui? E a essa hora da noite?

— Ora, não se preocupe, meu querido. — Uma voz emergiu do meio da gola levantada do casaco, do cachecol, dos lenços e do chapéu. Uma voz que parecia um portão de ferro precisando de óleo, mas que, de alguma forma, não soava desagradável.

— A senhora, hã, Queaueé disse que se perdeu — falou a Sra. Murry. — Gostaria de um chocolate quente, Sra. Queaueé?

— Encantada, pois sim — respondeu a Sra. Queaueé, tirando o chapéu e o cachecol. — Nem tanto me perdi, mas sim o vento que me tirou da rota. E quando percebi que estava perto da morada do nosso pequeno Charles, pensei em entrar e descansar só um pouquinho antes de seguir rumo.

— Como sabia que era a casa de Charles Wallace? — perguntou Meg.

— Pelo cheiro. — A Sra. Queaueé desatou um lenço com estampa *paisley* em tons de azul e verde, outro com estampa de flores vermelhas e amarelas, um outro de estampa dourada *liberty* e mais uma bandana rubro-negra. Embaixo de tudo isso, o cabelo grisalho e ralinho estava preso com um nó, pequeno mas bem amarrado no coco. Seus olhos eram claros, seu nariz era uma gota redonda e delicada, sua boca era franzida como uma maçã no outono. — Nossa, mas como é aconchegante aqui dentro — disse ela.

— Sente-se, por favor. — A Sra. Murry apontou uma cadeira. — Gostaria de um sanduíche, Sra. Queaueé? Eu comi um de salsicha de fígado com cream cheese; Charles comeu pão com geleia; Meg, um sanduíche de alface com tomate.

— Ora, deixe-me ver — ponderou a Sra. Queaueé. — É que tenho uma quedinha por caviar russo...

— A senhora olhou onde não devia! — esbravejou Charles, indignado. — Estamos guardando para o aniversário da Mãe e a senhora não vai comer!

Sra. Quequeé soltou um suspiro profundo e patético.

— *Não* — disse Charles. — E não dê para ela, Mãe, ou eu vou ficar muito brabo. Quem sabe uma salada de atum?

— Tudo bem — disse a Sra. Quequeé, dócil.

— Eu preparo — ofereceu-se Meg, indo buscar uma lata de atum na despensa.

Pelo amor de Deus, pensou ela, *essa velha entra sem pedir licença, no meio da noite, e a Mãe aceita como se não tivesse nada de estranho nisso. Aposto que ela é o andarilho. Aposto que foi ela quem roubou os lençóis. E ela com certeza não é gente para ficar de amizade com Charles Wallace, principalmente porque ele não fala com gente normal.*

— Estou há pouco tempo na vizinhança — disse a Sra. Quequeé, enquanto Meg desligava a luz da despensa e voltava à cozinha com o atum — e achei que não ia gostar dos vizinhos, até que o pequeno Charles apareceu com o cão.

— Sra. Quequeé, por que a senhora pegou os lençóis da Sra. Buncombe? — Charles Wallace a questionou de cara séria.

— Ora, porque eu *precisava*, querido Charles.

— A senhora tem que devolver agora mesmo.

— Mas, Charles, querido, eu *não posso*. Eu já *usei*.

— Foi muito errado da sua parte — Charles Wallace a repreendeu. — Se precisava tanto assim de lençóis, devia ter pedido para mim.

A Sra. Quequeé fez um não com a cabeça e exclamou:

— Vocês não têm lençóis sobrando. A Sra. Buncombe tem.

Meg cortou aipo e misturou ao atum. Hesitou por um instante, depois abriu a porta da geladeira e tirou um pote de picles. *Mas por que motivo estou fazendo isso por ela, não sei,* pensou enquanto cortava os picles. *Não confio nem um pouquinho nessa mulher.*

— Diga à sua irmã que eu sou de bem — disse a Sra. Quequeé a Charles. — Diga que tenho boas intenções.

— De boas intenções o inferno está cheio — declarou Charles.

— Ora, mas que astucioso. — A Sra. Quequeé fitou-o com carinho. — Que sorte que ele tem alguém que o entende.

— Mas temo que ele não tenha — disse Sra. Murry. — Nenhum de nós está no nível de Charles.

— Pelo menos você não tenta sufocá-lo. — A Sra. Quequeé fez sins vigorosos com a cabeça. — Você deixa que ele seja ele mesmo.

— Aqui está seu sanduíche — disse Meg, levando-o à Sra. Quequeé.

— Se importam se eu tirar minhas botas antes de comer? — perguntou a Sra. Quequeé, pegando o sanduíche mesmo assim. — Escutem. — Ela ficou subindo e descendo os pés dentro das botas para eles ouvirem o chapinhar da água. — Meus dedos estão muito molhados. O problema é que estas botas estão um pouquinho apertadas e eu nunca consigo tirar sozinha.

— Eu ajudo — ofereceu-se Charles.

— Você não. Você não tem força.

— Eu ajudo. — A Sra. Murry agachou-se aos pés da Sra. Quequeé e puxou uma das botas lustrosas. A bota saiu de repente e Sra. Murry acabou caindo sentada no chão com um baque surdo. A Sra. Quequeé desabou com a cadeira para trás, o sanduíche a salvo estendido numa das garras. Água começou a escorrer de dentro da bota e a correr pelo chão até o grande tapete de tecido trançado.

— Oh, mas que coisa — disse a Sra. Quequeé, deitada de costas na cadeira virada e com os pés para cima. Um deles com a meia de listras vermelhas e brancas; o outro, ainda na bota.

A Sra. Murry pôs-se de pé.

— Está tudo bem, Sra. Quequeé?

— Se tiver algum unguento, posso passar na minha dignidade — disse a Sra. Quequeé, ainda deitada de costas. — Acho que estou ferida. Um pouquinho de óleo de cravo misturado com alho faz muito bem. — E deu uma bela mordida no sanduíche.

— Levante-se, por favor — disse Charles. — Não gosto de vê-la deitada aí desse jeito. A senhora está exagerando.

— Já tentou botar-se de pé com a dignidade ferida? — Mas a Sra. Quequeé mesmo assim pôs-se de pé, aprumou a cadeira e sentou-se de novo no chão, o pé com a bota estendido à sua frente. Deu outra mordida no sanduíche. Era bastante ágil para uma mulher de idade. Meg tinha alguma certeza de que ela era velha e, no caso, muito velha.

De boca cheia, Sra. Quequeé ordenou à Sra. Murry:

— Agora puxe enquanto estou no chão.

Calmamente, como se essa idosa e suas botas não fossem nada fora do comum, a Sra. Murry puxou a segunda bota até ela renunciar ao pé, que estava envolto em uma meia xadrez azul e cinza. A Sra. Quequeé permaneceu sentada, mexendo os dedinhos, contentada em terminar seu sanduíche antes de se erguer com esforço do chão.

— Ah — disse ela—, assim é muito melhor. — Então pegou as duas botas e sacudiu-as em cima da pia. — Minha barriga está cheia, estou quentinha por dentro e é hora de ir para casa.

— Não acha melhor esperar até de manhã? — perguntou a Sra. Murry.

— Ah, obrigada, queridinha, mas tenho *tanta* coisa para fazer que não posso perder tempo ficando sentada sem fazer nada.

— A noite está muito louca para andar por aí.

— Noites loucas são a minha glória — disse a Sra. Quequeé.

— Foi só uma lufada que me pegou de jeito e me tirou da rota.

— Ora, pelo menos até suas meias secarem...

— Meias úmidas não me incomodam. Só não gostei dos meus pés chapinhando dentro das botas. Não se preocupe, minha carneirinha. — (Carneirinha não era uma palavra que se pensava aplicável à Sra. Murry.) — Vou ficar sentada mais um pouco, calçar as botas e, então, sigo meu rumo. Por falar em rumos, meu doce, saiba que o tesserato *existe*, sim.

A Sra. Murry ficou muito branca, estendeu uma das mãos para trás e agarrou a cadeira para se apoiar. Sua voz saiu trêmula:

— O que disse?

A Sra. Quequeé enfiou o pé na segunda bota.

— Eu disse — resmungou ela, empurrando o pé para dentro do calçado — que o tesserato — empurrou de novo — existe, sim. — O pé entrou na bota, e ela pegou seus lenços, cachecóis e chapéu e saiu apressada porta afora. A Sra. Murry continuou estática, sem se mexer para ajudar a idosa. Quando a porta se abriu, Fortinbrás entrou como um raio, arfante, molhado e reluzente como uma foca. Ele olhou para a Sra. Murry e ganiu.

A porta bateu.

— Mãe, qual é o problema? — gritou Meg. — O que ela falou? O que é isso?

— O tesserato... — sussurrou a Sra. Murry. — O que ela quis dizer? Como ela sabe?

2

Sra. Quem

Quando Meg acordou, ao estrépito do despertador, o vento ainda soprava, mas o sol brilhava; o pior da tempestade já havia passado. Ela sentou-se na cama e sacudiu a cabeça para desanuviar.

Devia ter sido um sonho. Ela se assustara com a tempestade, estava preocupada com o andarilho e por isso sonhou que tinha descido à cozinha e visto a tal Sra. Quequeé e a mãe toda assustada e incomodada com aquela palavra... como era mesmo? Tesse tesse-sei-lá-o-quê.

Ela vestiu-se com pressa, pegou seu gatinho ainda enroscado na cama e despejou-o no chão sem fazer cerimônia. O gatinho bocejou, se esticou, deu um miado comovente e saiu a trote do sótão pela escada. Meg arrumou a cama e correu atrás. Na cozinha, a mãe preparava rabanada, e os gêmeos já estavam na mesa. O gatinho lambia leite de um pires.

— Onde está Charles? — perguntou Meg.

— Ainda está dormindo. Tivemos uma noite bem perturbada, caso não se lembre.

— Eu estava torcendo para que tivesse sido um sonho — disse Meg.

A mãe cuidadosamente virou quatro rabanadas, depois falou com voz firme:

— Não, Meg. Não torça para que seja um sonho. Eu entendi tanto quanto você, mas uma coisa que aprendi é que você não precisa entender as coisas para elas *existirem*. Desculpe por ter demonstrado que fiquei incomodada. Seu pai e eu tínhamos uma piada sobre o tesserato.

— O *que* é um tesserato? — perguntou Meg.

— É um conceito. — A Sra. Murry entregou o xarope aos gêmeos. — Depois eu tento lhe explicar. Não vamos ter tempo antes do colégio.

— Não entendi por que não nos acordaram — disse Dennys. — Não foi justo perdermos toda a diversão.

— Hoje vocês vão ficar mais acordados na escola do que eu.

Meg levou sua rabanada até a mesa.

— E daí? — disse Sandy. — Se vai deixar velhas andarilhas entrarem na nossa casa no meio da noite, Mãe, tem que deixar Den e eu por perto para protegê-la.

— Afinal, era isso que o Pai ia esperar de nós — complementou Dennys.

— Sabemos que você tem uma mente privilegiada e tudo mais, Mãe — disse Sandy —, mas não tem muita *noção*. E com certeza Meg e Charles também não.

— Eu sei. Somos uns patetas.

Meg estava amarga.

— Queria que você não fosse tão *boba*, Meg. O *mapple*, por favor. — Sandy esticou o braço por cima da mesa. — Você não precisa levar tudo para o lado *pessoal*. Chegue a seu *medium* contente, pelo amor de Deus. No colégio você só fica de bobeira, olhando pela janela, não presta atenção.

— Você complica a sua própria vida — disse Dennys. — E Charles Wallace, quando entrar no colégio no ano que vem, vai ser um horror. *Nós* sabemos que ele é inteligente, mas ele se comporta de um jeito tão estranho quando está perto dos outros, e as pessoas estão tão acostumadas a achá-lo um lerdo, que não sei o que vai acontecer com ele. Sandy e eu vamos dar porrada em quem mexer com ele, mas mais que isso não dá para fazer.

— Vamos nos preocupar com o ano que vem no ano que vem — disse a Sra. Murry. — Mais rabanada, garotos?

• • •

No colégio, Meg estava cansada. Suas pálpebras pesavam e sua mente divagava. Na aula de estudos sociais, a professora perguntou-lhe quais eram os principais produtos de importação e exportação da Nicarágua. Embora tivesse estudado devidamente o assunto na noite anterior, ela não se lembrava de nada. A professora foi sarcástica, o resto da turma riu e ela se afundou na sua carteira, em fúria.

— E *quem* quer saber o que a Nicarágua importa ou exporta, oras? — resmungou.

— Se vai ser grosseira, Margaret, pode sair da sala — disse a professora.

— Ok, eu vou.

Meg saiu indignada.

Na hora de estudos, o diretor pediu para vê-la.

— E qual é o problema de hoje, Meg? — perguntou ele, de maneira bastante gentil.

Meg, amuada, olhava para o chão.

— Nada, Sr. Jenkins.

— A Sra. Porter disse que você foi grosseira sem motivo.

Meg deu de ombros.

— Você não percebe que essa postura só dificulta as coisas para você? — perguntou o diretor. — Meg, *eu* tenho certeza que você consegue dar conta e manter suas notas, se você se dedicar mais. Já alguns dos seus professores, não. Você vai ter que mudar. Ninguém vai mudar por você. — Ela continuou em silêncio. — E então? O que me diz, Meg?

— Eu não sei o que eu faço — respondeu ela.

— Poderia começar pelo dever de casa. Sua mãe não a ajudaria?

— Se eu pedisse, sim.

— Meg, tem alguma coisa a incomodando? Você está descontente em casa? — perguntou o Sr. Jenkins.

Meg enfim olhou para o diretor, arrumando os óculos com o movimento que lhe era característico.

— Lá em casa está *tudo bem.*

— Fico contente em saber. Mas eu sei que deve ser difícil estar longe do seu pai.

Meg fitou o diretor com desconfiança e passou a língua no arame farpado de seu aparelho de dentes.

— Você teve notícias dele?

Meg estava certa que não era apenas sua imaginação o que a fazia sentir que, por trás da fachada de preocupação do Sr. Jenkins, havia um toque de ávida curiosidade. *Ah, ele quer saber, é?*, ela pensou. *Se eu soubesse alguma coisa, a última pessoa a quem eu ia contar seria ele. Bom, uma das últimas.*

A moça do correio já deve saber que faz quase um ano desde a última carta. Sabe-se lá para quantas pessoas *ela* contou, ou que suposições indelicadas não teria feito a respeito do motivo para o silêncio prolongado.

O Sr. Jenkins ficou aguardando a resposta, mas Meg apenas deu de ombros.

— Qual era mesmo a área em que seu pai trabalhava? — perguntou o Sr. Jenkins. — Ele era um tipo de cientista, não era?
— Ele é físico.
Meg arreganhou os dentes, revelando as duas linhas ferozes do aparelho.
— Meg, você não acha que estaria mais ajustada se encarrasse os fatos?
— Eu encaro os fatos — disse Meg. — E digo ao senhor que eles são bem mais fáceis de encarar do que as pessoas.
— Então por que não encara os fatos em relação a seu pai?
— Deixe o meu pai fora disso! — berrou Meg.
— Pare de gritar — disse o Sr. Jenkins, categórico. — Quer que o colégio inteiro a ouça?
— E daí? — perguntou Meg. — Não tenho vergonha de nada que eu digo. O senhor tem?
O Sr. Jenkins deu um suspiro.
— Você gosta de ser a aluna mais belicosa e menos cooperativa do colégio?
Meg ignorou a pergunta e inclinou-se sobre a mesa, chegando mais perto do diretor.
— Sr. Jenkins, o senhor conhece minha mãe, não conhece? O senhor não pode acusá-la de não encarar os fatos, não é? Ela é cientista. Ela tem doutorado em biologia e em bacteriologia. O *trabalho* dela é lidar com fatos. Quando ela me disser que meu pai não vai voltar para casa, eu acredito. Enquanto ela disser que o Pai *vai* voltar, é nisso que eu acredito.
O Sr. Jenkins deu mais um suspiro.
— Não duvido que sua mãe queira acreditar que seu pai vai voltar para casa, Meg. Pois bem, não tenho mais o que fazer a seu respeito. Pode voltar para a sala de estudos. Procure ser menos antagônica. Quem sabe seu desempenho melhore se sua postura for mais obediente.

• • •

Quando Meg chegou em casa, sua mãe estava no laboratório, os gêmeos estavam no beisebol e Charles Wallace, o gatinho e Fortinbrás a aguardavam. Fortinbrás deu um salto, colocou as patas dianteiras nos ombros dela e lhe deu um beijo. O gatinho correu até o pires vazio e miou alto.

— Venha — disse Charles Wallace. — Vamos.

— Onde? — perguntou Meg. — Estou com fome, Charles. Não quero ir a lugar nenhum antes de comer.

Ela ainda estava aborrecida com o interrogatório do Sr. Jenkins e sua voz tinha um toque de irritação. Charles Wallace ficou observando-a, pensativo, enquanto Meg ia à geladeira. Ela serviu leite ao gatinho e depois bebeu ela mesma uma caneca.

Ele estendeu à irmã um saco de papel.

— Aqui tem sanduíche, biscoitos e uma maçã. Acho melhor irmos ver a Sra. Quequeé.

— Ai, meu Deus — disse Meg. — *Por que*, Charles?

— Você ainda fica incomodada com ela, não é? — perguntou Charles.

— Bom, sim, fico.

— Não precisa. Ela é uma pessoa boa. Eu garanto. Ela está do nosso lado.

— Como você sabe?

— *Meg* — disse ele, em tom de impaciência. — Eu *sei*.

— Mas por que temos que falar com ela agora?

— Quero saber mais sobre esse tal tesserato. Você não viu como a Mãe ficou chateada? Você sabe que quando a Mãe não consegue controlar o que sente, quando ela deixa que nós vejamos que ela está chateada, é porque tem algo grande por trás.

Meg parou para pensar.

— Tudo bem, vamos. Mas vamos levar o Fortinbrás com a gente.

— Ora, claro. Ele tem que fazer exercício.

Eles partiram, com Fortinbrás disparando na frente, dando meia-volta até as duas crianças, depois disparando de novo. Os Murrys moravam a mais ou menos seis quilômetros do vilarejo. Atrás da casa ficava uma floresta de pinheiros. Charles Wallace levou Meg a atravessá-la.

— Charles, você sabe que ela vai se meter numa grande encrenca... estou falando da Sra. Quequeé... caso descubram que foi ela quem invadiu a cabana assombrada, que pegou os lençóis da Sra. Buncombe e tudo mais. Podem até mandá-la para a cadeia.

— Um dos motivos pelos quais estou indo lá nesta tarde é para avisá-las.

— Avisá-*las*?

— Eu falei que ela está com duas amigas. Não tenho nem certeza se foi a Sra. Quequeé quem pegou os lençóis, embora ache que ela é perfeitamente capaz de fazer isso.

— Mas para que ela ia querer todos aqueles lençóis?

— Pretendo perguntar — disse Charles Wallace —, e avisar que elas precisam ter mais cuidado. Não creio que elas vão deixar que alguém as encontrem, mas pensei que deveríamos mencionar a possibilidade. Às vezes, nas férias, os garotos vão até lá atrás de aventuras. Mas acho que nesse momento ninguém anda disposto, com o basquete e tudo mais.

Eles caminharam mais um instante em silêncio pela floresta fragrante, com as agulhas das pinhas desbotadas e macias sob os pés. No alto, o vento fazia música entre os galhos das árvores. Charles Wallace deu a mão à Meg, transmitindo segurança. Aquele doce gesto de garotinho acalentou-a tanto que ela sentiu o nó apertado que havia dentro de si começar a soltar-se. *O que importa é que o Charles me ama*, pensou ela.

— A escola foi horrível de novo? — perguntou ele, depois de um tempo.

— Foi. Me mandaram no Sr. Jenkins. Ele fez comentários maliciosos sobre o Pai.

Charles Wallace fez um meneio carregado de sabedoria.

— Eu sei.

— *Como* você sabe?

Charles Wallace fez que não.

— Eu não consigo explicar. Você que me fala, é isso.

— Mas eu nunca falo. Parece que você sabe.

— Tudo em você me fala — disse Charles.

— E os gêmeos? — perguntou Meg. — Você sabe das coisas deles também?

— Acho que, se quisesse, eu também conseguiria saber. Caso eles precisassem de mim. Mas é algo que me deixa um pouco cansado, então me concentro em você e na Mãe.

— Quer dizer que você lê nossas mentes?

Charles Wallace parecia incomodado.

— Não acho que seja isso. É como conseguir entender um tipo de idioma. Como se, às vezes, se eu me concentrar muito, eu vou entender o que o vento fala com as árvores. Você me conta tudo, entende, meio que inad... inadvertidamente. Muito boa essa palavra, não? Pedi à Mãe que pesquisasse para mim no dicionário hoje de manhã. Preciso muito aprender a ler, mas tenho medo que minha vida no colégio, no próximo ano, seja muito complicada se eu já entrar sabendo as coisas. Acho que será melhor se as pessoas continuarem achando que não sou muito inteligente. Não vão me odiar tanto.

À frente deles, Fortinbrás começou a latir alto, aquele ladro de alerta que geralmente os avisava de um carro subindo a estrada ou da presença de alguém na porta.

— Tem alguém aqui — falou Charles Wallace enfaticamente. — Tem alguém nos arredores da casa. *Venha.*

Ele começou a correr, as pernas curtinhas fazendo grande esforço. À beira da mata, Fortinbrás estava na frente de um garoto, latindo em fúria.

Quando se aproximaram do garoto, ofegantes, ele disse:

— Pelo amor de Deus, façam seu cão parar.

— Quem é ele? — perguntou Charles Wallace a Meg.

— Calvin O'Keefe. Ele é do Colégio Regional, mas um pouco mais velho que eu. É um chatonildo.

— Está tudo bem, rapaz. Não vou machucar você — disse o garoto a Fortinbrás.

— Sente-se, Fortin — Charles Wallace deu a ordem, e Fortinbrás abaixou as ancas diante do garoto, um grunhido baixinho ainda pulsando na garganta negra.

— Certo. — Charles Wallace levou as mãos ao quadril. — Agora diga-nos o que está fazendo aqui.

— Posso fazer a mesma pergunta pra vocês — disse o garoto, que parecia um pouco indignado. — Vocês não são filhos dos Murry? Aqui não é a terra de vocês, é?

Ele começou a andar, mas o rosnado de Fortinbrás ficou mais forte e ele se deteve.

— Conte-me mais sobre ele, Meg — pediu Charles Wallace.

— O que eu vou saber? — perguntou Meg. — Ele está dois ou três anos na minha frente e faz parte do time de basquete.

— Só porque eu sou alto. — Calvin parecia um pouco envergonhado. Alto ele certamente era, e magro. Os pulsos ossudos se projetavam das mangas do casaco azul; a calça de veludo cotelê gasta tinha três dedos a menos do que precisava na parte de baixo. Tinha cabelos ruivos claros que estavam precisando de um corte e as sardas obrigatórias. Seus olhos eram de um azul estranhamente claro.

— Conte para a gente o que está fazendo aqui — disse Charles Wallace.

— O que é *isso?* Um interrogatório? Não era você que era um bobão?

Meg ficou vermelha de raiva, mas Charles Wallace respondeu com toda placidez.

— Isso mesmo. Se quer que eu segure meu cachorro, é bom abrir a boca.

— O bobão mais esquisito que eu já conheci — disse Calvin. — Só vim fugir da minha família.

Charles Wallace fez um meneio de concordância.

— Que tipo de família?

— São uns melequentos. Eu sou o terceiro de onze irmãos. Sou uma anomalia.

Diante daquilo, Charles Wallace deu um sorriso amplo.

— Eu também.

— Não estou falando de doenças — disse Calvin.

— Nem eu.

— É uma coisa da biologia — disse Calvin, desconfiado.

— *Uma alteração genética* — citou Charles Wallace — *que resulta em característica no descendente que não se manifesta nos pais, mas é potencialmente transmissível à prole daquele.*

— Mas o que aconteceu? — perguntou Calvin. — Me disseram que você não falava.

— Pensar que sou um bobão faz as pessoas se sentirem superiores — disse Charles Wallace. — Por que eu deveria acabar com essa ilusão? Quantos anos você tem, Cal?

— Catorze.

— Em que série você está?

— Primeiro ano do ensino médio. Eu sou inteligente. Escuta, alguém chamou vocês aqui, hoje?

Charles Wallace, segurando Fortin pela coleira, olhou para Calvin desconfiado.

— Como assim, *chamou?*

Calvin deu de ombros.

— Você ainda não acredita em mim, não é?

— Não *des*acredito — disse Charles Wallace.

— Então podem me dizer por que vieram aqui?

— Fortin, Meg e eu resolvemos dar uma caminhada. A gente costuma fazer isso à tarde.

Calvin afundou as mãos nos bolsos.

— Vocês estão escondendo alguma coisa de mim.

— E você também — disse Charles Wallace.

— Ok, coleguinha anômalo — disse Calvin. — Eu vou dizer o seguinte: às vezes eu tenho uma sensação. Pode chamar de compulsão. Sabe o que significa uma compulsão?

— *Coerção. Obrigação. Quando alguém se sente compelido.* Não é uma definição muito boa, mas vem do Oxford de bolso.

— Ok, ok. — Calvin suspirou. — Tenho que lembrar que sou pré-condicionado no conceito que eu tenho da sua mentalidade.

Meg sentou-se na grama áspera à beira da mata. Fortin delicadamente puxou sua coleira das mãos de Charles Wallace e foi até Meg, deitando-se ao lado e baixando a cabeça no colo dela.

Calvin agora tentava, de maneira educada, dirigir suas palavras tanto a Meg quanto a Charles Wallace.

— Quando eu tenho essa sensação, essa compulsão, eu sempre obedeço. Não consigo explicar de onde vem ou como eu fico assim, e isso não acontece sempre. Mas eu obedeço. E hoje à tarde fiquei com a sensação de que tinha que vir à casa assombrada. É tudo que eu sei. Não estou escondendo nada. Talvez eu tivesse que encontrar vocês. Me digam *vocês*.

Charles Wallace olhou por um instante para Calvin de forma inquisitiva; depois veio-lhe um olhar quase fixo, como se estivesse pensando no garoto. Calvin ficou imóvel, esperando. Charles enfim falou.

— Ok. Eu acredito. Mas não posso lhe contar. Acho que gostaria de confiar em você. Talvez seja melhor vir conosco e jantar na nossa casa.

— Ora, claro, mas... o que a mãe de vocês diria? — perguntou Calvin.

— Ela ficaria encantada. A Mãe é legal. Não é uma de nós, mas é legal.

— E Meg?

— Para a Meg é difícil — disse Charles Wallace. — Ela não é nem uma coisa, nem outra.

— Como assim, *uma de nós?* — Meg quis saber. — Como assim, não sou uma coisa nem outra?

— Agora não, Meg — disse Charles Wallace. — Com calma. Eu lhe explico depois. — Ele olhou para Calvin, depois pareceu tomar uma decisão rápida. — Certo, vamos levá-lo para encontrar a Sra. Quequeé. Caso ele não seja legal, ela vai nos dizer.

Ele começou a andar com suas perninhas em direção à casa velha e dilapidada.

Metade da casa assombrada estava encoberta pelas sombras do amontoado de olmos que ficavam no entorno da construção. Os olmos se encontravam quase sem folhas e o chão em volta da casa, amarelado de folhas úmidas. A luz do fim de tarde tinha um tom esverdeado que as janelas vazias refletiam de modo sinistro. Uma persiana sem dobradiças bateu. Outra coisa rangeu. Meg nem se perguntou por que a casa tinha reputação de assombrada.

Havia uma tábua pregada na porta da frente, mas Charles Wallace os levou até os fundos. A porta dali também parecia pregada, mas Charles Wallace bateu e ela se abriu devagar para fora, rangendo nas dobradiças tomadas pela ferrugem. No alto de um dos olmos, um corvo negro e velho deu seu grito rouco e um pica-pau começou seu trac-trac-trac insano. Um grande rato cinza remexeu-se no canto da casa, e Meg soltou um gritinho abafado.

— Elas se divertem muito usando a cenografia típica — disse Charles Wallace, com uma voz segura. — Venham. Sigam-me.

Calvin levou a mão forte ao ombro de Meg, e Fortin empurrou-se contra a perna dela. A felicidade que sentiu com a preocupação deles foi tão forte que fez o pânico dela evaporar. Ela seguiu Charles Wallace aos recônditos escuros da casa sem medo algum.

Eles adentraram uma espécie de cozinha. Havia uma lareira imensa com um grande caldeirão negro pendendo sobre fogo vivo. Como é que não se via fumaça saindo da chaminé? Alguma coisa no caldeirão borbulhava e tinha mais cheiro de um dos compostos químicos da Sra. Murry do que de comida. Sobre uma cadeira de balanço de madeira e arruinada, viram uma mulherzinha rechonchuda. Não era a Sra. Quequeé. Portanto, concluiu Meg, devia ser uma das duas amigas da Sra. Quequeé. Ela usava óculos enormes, com o dobro da espessura e do tamanho dos de Meg, e costurava compenetrada, com pontos rápidos como facadas, num lençol. Havia vários lençóis caídos no chão empoeirado.

Charles Wallace foi até ela.

— Acho mesmo que as senhoras não deveriam ter pegado os lençóis da Sra. Buncombe sem me consultar — disse ele, zangado e mandão como só um garotinho pode ser. — Para que diabo precisam deles?

A mulherzinha rechonchuda sorriu para ele.

— Ora, Charlizinho, meu doce! *Le cœur a ses raisons que la raison ne connaît point*. Francês. Pascal. *O coração tem razões que a própria razão desconhece.*

— Mas isso não tem nada a ver! — falou Charles, zangado.

— Sua mãe diria que tem. — Um sorriso pareceu brilhar em meio à rotundidade dos óculos.

— Não estou falando do que minha mãe sente pelo meu pai. — Charles Wallace a repreendeu. — Estou falando dos lençóis da Sra. Buncombe.

A mulherzinha soltou um suspiro. Os óculos descomunais refletiram a luz mais uma vez e brilharam como olhos de coruja.

— Caso precisemos de fantasmas, oras — disse ela. — Achei que você iria adivinhar. Se tivermos que afugentar alguém, Quequeé pensou que devíamos fazer do jeito certo. Por isso que é tão divertido ficar numa casa assombrada. Mas, de fato, não queríamos que você soubesse dos lençóis. *Auf frischer Tat ertappt*. Alemão. *In flagrante delicto*. Latim. *Caught in the act*. Inglês. *Pegas em flagrante*. Como eu ia dizendo...

Mas Charles Wallace ergueu a mão num gesto categórico.

— A senhora conhece este garoto, Sra. Quem?

Calvin fez uma mesura.

— Boa tarde, senhora. Acho que não entendi seu nome.

— Sra. Quem serve — disse a mulher. — Ele não foi ideia minha, Charlizinho, mas acho que é um bom rapaz.

— Onde está a Sra. Quequeé? — perguntou Charlie.

— Ocupada. A hora vem chegando, Charlizinho, a hora vem chegando. *Ab honesto virum bonum nihil deterret*. Sêneca. *Nada impede o homem de bem de fazer o certo*. E ele é um homem muito bom, querido Charlizinho, mas no momento precisa da sua ajuda.

— Quem precisa? — Meg quis saber.

— Ah, pequena Meguinha! Que prazer conhecê-la, meu doce. Seu pai, é claro. Agora, para casa, amores. A hora ainda não chegou. Não se preocupem, não vamos partir sem vocês. Juntem bastante comida e descansem. Alimentem Calvin. Agora, xô daqui! *Justitiæ soror fides*. Latim de novo, é claro. A *fé é irmã da justiça*. Confiem em nós! Agora, xô! — Ela levantou-se da cadeira e afugentou-os até a porta com uma potência inesperada.

— Charles — disse Meg. — Eu não entendi.

Charles pegou a irmã pela mão e arrastou-a da casa. Fortinbrás foi correndo na frente, e Calvin vinha logo atrás dos dois.

— Nem eu — disse ele. — Não muito. Vou lhe contar o que eu sei assim que puder. Mas você viu o Fortin, não viu? Nem um rosnado. Nem se eriçou. Como se não houvesse nada de estranho naquilo. De um jeito que você sabe que está tudo bem. Vocês dois, me façam um favor. Só vamos falar disso depois de comer alguma coisa. Preciso de combustível para organizar e assimilar as coisas.

— Mostre o caminho, bobão — gritou Calvin, alegremente. — Nunca cheguei a ver onde vocês moram, mas eu tenho a estranha sensação de que é a primeira vez na vida que vou para casa!

3

Sra. Qual

Na floresta, a noite já começava a cair. Eles caminhavam em silêncio. Charles e Fortinbrás iam à frente, cabriolantes. Calvin andava ao lado de Meg, os dedos dele tocando levemente o braço dela, num gesto protetor.

Esta foi a tarde mais impossível e mais confusa da minha vida, pensou, *mas não me sinto mais confusa, nem triste; só me sinto contente. Por que será?*

— Talvez não fosse mesmo para termos nos conhecido antes — disse Calvin. — Quer dizer, eu sabia quem você era no colégio e tudo mais, mas não a conhecia. Fiquei contente que agora nos conhecemos, Meg. Vamos ser amigos, sabe?

— Também fiquei feliz — balbuciou Meg, antes de eles voltarem ao silêncio.

Quando eles chegaram em casa, a Sra. Murry ainda estava no laboratório. Ela observava um fluido azul e pálido se mexendo bem devagar dentro de um tubo, que saía de uma proveta para uma retorta. Uma grande travessa de cerâmica com ensopado borbulhava sobre um bico de Bunsen.

— Não contem ao Sandy e ao Dennys que vim cozinhar

aqui — disse ela. — Eles sempre ficam achando que os químicos vão contaminar a carne. Mas eu queria cuidar desse experimento.

— Mãe, este é o Calvin O'Keefe — disse Meg. — Tem o suficiente para ele também? O cheiro está ótimo.

— Olá, Calvin. — A Sra. Murry cumprimentou-o com um aperto de mão. — Um prazer conhecê-lo. Hoje só teremos ensopado, mas é dos bem grossos.

— Parece excelente — disse Calvin. — Posso usar o telefone para avisar minha mãe onde estou?

— É claro. Você mostra onde é, Meg, por favor? Peço para não usar o daqui, se não se importar. Queria terminar o experimento.

Meg mostrou o caminho pela casa. Charles Wallace e Fortinbrás haviam ido na frente. Lá fora, ela ouvia Sandy e Dennys martelando o forte que construíam no alto de um bordo.

— Por aqui.

Meg passou da cozinha para a sala de estar.

— Não sei por que eu ligo para ela quando não vou para casa — disse Calvin, com a voz amarga. — Ela nem ia notar. — Suspirou e discou. — Mãe? — disse. — Ah, Hinky. Avise a mãe que vou voltar mais tarde. E não esqueça. Não quero ficar trancado na rua de novo. — Ele desligou e olhou para Meg. — Você tem noção da sorte que tem?

Ela deu um sorriso muito torto.

— Normalmente, não.

— Uma mãe dessas! Uma casa dessas! Nossa, sua mãe é tão linda! Tinha que ver a minha. Ela perdeu todos os dentes de cima. O papai comprou uma dentadura, mas ela não usa. Ela quase nunca penteia o cabelo. Não que faça muita diferença quando penteia. — Ele cerrou os punhos. — Mas eu amo minha mãe. Isso que é o estranho. Amo todos eles e eles não dão a mínima para mim. Acho que é por isso que eu ligo quando não vou pra casa. Porque eu me importo. E ninguém mais se importa. Você não sabe a sorte que tem de ser amada.

Meg falou como se estivesse assustada.

— Acho que nunca pensei desse jeito. Achei que todo mundo era assim e pronto.

Calvin pareceu ficar triste; mas logo depois o enorme sorriso voltou a iluminar seu rosto.

— Muita coisa vai acontecer, Meg! Coisas legais! Eu tenho esse pressentimento! — Ele começou a vagar pela sala de estar, prosaica mas aconchegante. Parou diante de um retrato no piano, com um grupelho de homens de pé numa praia. — Quem são?

— Ah, um bando de cientistas.

— Onde?

Meg chegou mais perto da foto.

— No Cabo Canaveral. Esse é o Pai.

— Qual?

— Este.

— O de óculos?

— Arrã. O que não foi no cabeleireiro. — Meg deu uma risadinha. O prazer de mostrar a foto a Calvin fazia ela esquecer das aflições. — O cabelo dele é mais ou menos da mesma cor que o meu e ele sempre esquece de cortar. A Mãe acaba cortando para ele porque ele não consegue parar e ir no barbeiro. Ela até comprou tesouras, essas coisas.

Calvin ficou analisando a foto.

— Gostei dele — anunciou, em tom ponderado. — Parece um pouco o Charles Wallace, não parece?

Meg riu de novo.

— Quando o Charles era bebê ele era *igual* ao Pai. Era muito engraçado.

Calvin continuou olhando a foto.

— Ele não é bonito nem nada. Mas gostei dele.

Meg se zangou.

— Ele é bonito, sim.

Calvin fez não com a cabeça.

— Que nada. Ele é alto e magrelo, que nem eu.

— Bom, eu acho você bonito — disse Meg. — Os olhos do Pai são parecidos com os seus. Você viu. Bem azuis. Só que os deles não dá para notar tanto por causa dos óculos.

— E onde ele está?

Meg se retesou. Mas não precisou responder, pois a porta do laboratório para a cozinha bateu e a Sra. Murry entrou, trazendo a travessa do ensopado.

— Agora, vou terminar isso aqui como devia, no fogão. Já fez o dever de casa, Meg? — disse ela.

— Não tudo — respondeu Meg, voltando à cozinha.

— Tenho certeza de que Calvin não vai se importar se você terminar antes do jantar.

— Claro, vai lá. — Calvin procurou algo no bolso e tirou um papel dobrado. — Aliás, eu tenho que terminar umas coisinhas também. Matemática. Nessa eu ando com dificuldade. Eu sou bom em qualquer coisa com palavras, mas com números, não me dou bem.

A Sra. Murry deu um sorriso.

— Por que não pede ajuda à Meg?

— Mas é que estou várias séries à frente da Meg.

— Convide a Meg para ajudá-lo mesmo assim — sugeriu a Sra. Murry.

— Bom, é claro — disse Calvin. — Tome. Mas é bem complicado.

Meg alisou o papel e ficou analisando.

— Interessa para eles *como* você resolve? — perguntou ela.

— Quer dizer: você pode resolver do seu jeito?

— Bom, é claro, desde que eu entenda e dê a resposta certa.

— Pois é, é que *nós* temos que fazer do jeito *deles*. Veja só, Calvin: você percebe como seria mais fácil fazer *desse* jeito?

O lápis dela passou voando pelo papel.

— Ei — disse Calvin. — Ei! Acho que eu entendi. Mostre para mim de novo, agora com outro problema.

O lápis de Meg correu de novo.

— Você só tem que lembrar que cada fração ordinária pode ser convertida em fração decimal periódica e infinita. Viu? Então, 3/7 é 0,428571.

— Que família mais doida. — Calvin sorriu para ela. — Imagino que eu deveria parar de me surpreender, mas era para você ser a lerdinha do colégio, a que sempre chamam para conversar na diretoria.

— Ah, mas me chamam.

— O problema que a Meg tem com a matemática — interveio rápido a Sra. Murry — é que ela e o pai brincavam com números, por isso a Meg aprendeu muitos atalhos. E aí, no colégio, quando querem que ela resolva os problemas pelo caminho mais longo, ela fica emburrada, teimosa e cria um bloqueio.

— Tem outros bobões que nem a Meg e o Charles por aí? — perguntou Calvin. — Se tiver, eu queria conhecer.

— Também ajudaria se a letra da Meg fosse legível — disse a Sra. Murry. — Geralmente eu consigo decifrar, mas com muita dificuldade. Duvido que os professores consigam ou se disponham. Quero dar uma máquina de escrever para ela no Natal. Pode ser que ajude.

— Se eu acertar tudo, ninguém vai acreditar que fui eu — disse Meg.

— O que é um megaparsec? — perguntou Calvin.

— É um dos apelidos que o Pai me deu — disse Meg. — E também é 3,26 milhões de anos-luz.

— O que é $E = mc^2$?
— A equação de Einstein.
— O que é o E?
— Energia.
— O m?
— Massa.
— E o c^2?
— O quadrado da velocidade da luz em centímetros por segundo.
— Que países fazem fronteira com o Peru?
— Não tenho a mínima ideia. Eu acho que fica em algum lugar da América do Sul.
— Qual é a capital de Nova York?
— Ora, claro que é Nova York!
— Quem escreveu *A Autobiografia de Benjamin Franklin*?
— Ah, Calvin, eu não sou boa em Literatura.
Calvin deu um resmungo e virou-se para a Sra. Murry.
— Entendi o que a senhora disse. Eu não queria ser professor dela.
— Concordo que ela é um pouco bronca — disse a Sra. Murry —, mas os culpados disso somos eu e o pai dela. Ela ainda gosta de brincar de boneca, porém.
— *Mãe!* — Meg soltou um guincho de agonia.
— Ah, querida, desculpe — reagiu rapidamente a Sra. Murry. — Mas tenho certeza de que Calvin me entendeu.
Com um gesto repentinamente empolgado, Calvin abriu bem os braços, como se fosse abraçar Meg e a mãe, a casa inteira.
— Como foi que isso tudo aconteceu? Não é uma maravilha? Parece que eu acabei de nascer! Não sou mais sozinho! Vocês percebem o que isso significa para mim?
— Mas você é bom no basquete e tal! — protestou Meg. — Você vai bem no colégio. Todo mundo gosta de você.

— Pelos motivos mais insignificantes — disse Calvin. — Não tem ninguém no mundo com quem eu consiga conversar. Claro que eu sou funcional no mesmo nível que todo mundo. Eu sei me conter. Mas não sou eu.

Meg juntou vários garfos da gaveta e ficou olhando para eles enquanto os girava.

— Estou toda confusa de novo.

— Ah, eu também — disse Calvin, alegre. — Mas pelo menos agora sei que estamos chegando a algum lugar.

• • •

Meg ficou contente e até um pouco surpresa que os gêmeos se animaram com a presença de Calvin no jantar. Eles sabiam mais da reputação esportiva do convidado e ficaram muito mais impressionados do que ela. Calvin comeu cinco tigelas de ensopado, três pires de gelatina e uma dúzia de biscoitos. Depois, Charles Wallace insistiu para que Calvin levasse-o para a cama e lesse para ele. Os gêmeos, que haviam terminado o dever de casa, tiveram permissão para assistir meia hora de TV. Meg ajudou a mãe com os pratos e depois sentou-se na mesa para brigar com o dever de casa. Mas não conseguia se concentrar.

— Mãe, você está chateada? — perguntou ela, de repente.

A Sra. Murry tirou os olhos da revista científica inglesa que estava folheando. Por um instante, não disse nada. E então:

— Estou.

— Por quê?

A Sra. Murry fez uma pausa de novo. Ela estendeu e fitou as mãos. Eram compridas, fortes e bonitas. Com os dedos da direita, ela tocou a aliança de ouro grossa no terceiro dedo da esquerda.

— Sabe, eu ainda sou bem jovem — ela enfim falou —, mas eu entendo que isso é difícil para vocês, crianças, compreenderem. E ainda sou muito apaixonada pelo seu pai. Sinto uma saudade tremenda.

— E você acha que isso tudo tem a ver com o Pai?
— Acho que deve ter.
— Mas como?
— Isso eu não sei. Mas parece ser a única explicação.
— Você acha que as coisas sempre têm explicação?
— Sim. Acredito que sempre têm. Mas acho que, dentro das nossas limitações de ser humano, nem sempre somos capazes de entender as explicações. Mas, veja bem, Meg: não é porque não entendemos alguma coisa que essa explicação não existe.
— Eu gosto de entender as coisas — disse Meg.
— Todo mundo gosta. Mas nem sempre é possível.
— Charles Wallace entende mais que nós, não é?
— Entende.
— Por quê?
— Acho que por ele ser… bom, porque ele é diferente, Meg.
— Diferente como?
— Não sei bem. Você sabe que ele não é igual a todo mundo.
— Não é. E nem quero que ele seja — disse Meg, na defensiva.
— Nosso querer não faz diferença. Charles Wallace é o que é. Diferente. Inédito.
— Inédito?
— Sim. É o que eu e seu pai achamos.

Meg torceu o lápis tão forte que ele quebrou. Ela riu.

— Desculpe. Não queria destruir nada. Só quero entender direito.
— Eu sei.
— Mas Charles Wallace não *parece* diferente de ninguém.
— Não, Meg, mas as pessoas são mais que a aparência. A diferença de Charles Wallace não é física. É na essência.

Meg deu um forte suspiro, tirou os óculos, girou-os na mão e levou-os ao rosto de novo.

— Bom, eu sei que Charles Wallace é diferente e sei que ele tem algo a *mais*. Acho que vou ter que aceitar sem entender.

A Sra. Murry sorriu para ela.

— Talvez seja exatamente isso que eu queria esclarecer.

— Arrã — disse Meg, ainda em dúvida.

A mãe sorriu de novo.

— Talvez seja por isso que nossa visita da noite passada não tenha me causado surpresa. Talvez seja por isso que eu consigo ter uma propensão a suspender a descrença. Por causa de Charles Wallace.

— *Você* é igual ao Charles? — perguntou Meg.

— Eu? Nossa, não! Eu fui abençoada com uma inteligência acima da média e com mais oportunidades que muita gente, mas nada em mim foge do molde mais corriqueiro.

— Você é linda — disse Meg.

A Sra. Murry riu.

— Você só não teve base para comparar, Meg. Sério, eu sou bastante comum.

Calvin O'Keefe, que vinha entrando, disse:

— Rá, rá.

— O Charles está na cama? — perguntou a Sra. Murry.

— Sim.

— O que você leu pra ele?

— O Gênesis. Ele que escolheu. A propósito, o que era o experimento no qual a senhora estava trabalhando à tarde?

— Ah, uma coisa que eu e meu marido vínhamos armando. Não quero estar *tão* defasada quando ele voltar.

— Mãe — aproveitou Meg —, Charles disse que eu não sou uma coisa, nem outra, nem carne, nem frango, nem peixe.

— Ah, pelo amor de Deus! — disse Calvin — Você é *Meg*, não é? Venha, vamos dar uma caminhada.

Mas Meg não ficou satisfeita.

— E o que você acha de Calvin? — perguntou ela à mãe.

A Sra. Murry riu.

— Não quero achar nada do Calvin. Gosto muito dele e fico feliz que ele tenha achado o caminho até nossa casa.

— Mãe, você ia me explicar sobre o tesserato.

— Sim. — Uma inquietação subiu aos olhos da Sra. Murry. — Mas agora não, Meg. Agora não. Vá caminhar com Calvin. Vou subir para dar um beijo em Charles e depois tenho que botar os gêmeos na cama.

Lá fora, a grama estava molhada pelo orvalho. A lua estava a meio caminho no céu e ofuscava as estrelas em um amplo arco. Calvin estendeu a mão e tomou a de Meg com um gesto simples e amigável, tal como o de Charles Wallace.

— Você deixou sua mãe triste? — perguntou ele, com delicadeza.

— Acho que *eu* não. Mas ela está chateada.

— Por quê?

— Por causa do Pai.

Calvin conduziu Meg pelo gramado. As sombras das árvores se encontravam compridas e tortas. O ar estava com um cheiro doce, forte, outonal. Meg tropeçou quando o solo repentinamente declinou colina abaixo, mas a mão forte de Calvin não deixou que ela caísse. Eles passaram com cuidado pela horta dos gêmeos, achando um caminho entre fileiras de repolho, beterraba, brócolis e abóboras. À esquerda deles assomavam grandes talos de milho. À frente, um pequeno pomar de macieiras delimitado por um muro de pedra. Mais à frente, depois do muro, a floresta por onde haviam caminhado naquela tarde. Calvin assumiu a dianteira até o muro e sentou-se lá, seu cabelo ruivo brilhando em tons de prata ao luar, seu corpo manchado com os desenhos que o emaranhado de galhos projetava. Ele estendeu a mão, puxou uma maçã de um galho retorcido e entregou-a para Meg, depois pegou uma para si.

— Me conte do seu pai.
— Ele é físico.
— Claro, isso todo mundo sabe. E dizem que ele deixou a sua mãe e saiu com uma senhora aí.

Meg pulou da pedra na qual estava empoleirada, mas Calvin segurou seu pulso e puxou a menina de volta.

— Calma, garota. Eu não falei nada que você já não tivesse ouvido, né?
— Não — respondeu Meg, mas continuou a tomar distância. — Me solte.
— Ora, calma. *Você* sabe que isso não é verdade, *eu* sei que isso não é verdade. E como que *alguma* pessoa, depois de ver sua mãe uma vez na vida, ia acreditar que um homem trocaria ela por outra mulher? Isso só demonstra o que a inveja faz com as pessoas. Não é?
— Acho que sim — disse Meg. Mas sua felicidade já havia escapado e ela estava de volta ao atoleiro da raiva e do ressentimento.
— Olha aqui, boboca. — Calvin lhe deu um cutucão gentil. — Eu só quero entender as coisas, quem sabe separar fato e ficção. Seu pai é físico. Isso é um fato, certo?
— Certo.
— Ele tem sei lá quantos doutorados.
— Tem.
— Ele geralmente trabalha sozinho, mas passou um tempo no Instituto de Estudos Avançados de Princeton. Correto?
— Sim.
— Então ele fez umas coisas para o governo, não fez?

— Fez.

— A partir daí é com você. Só sei até aí.

— É praticamente tudo que eu sei também — disse Meg. — Talvez a Mãe saiba mais. Não sei. O que ele fazia era... bom, é o que eles chamam de Confidencial.

— Ultrassecreto, você quer dizer?

— Isso mesmo.

— E você nem tem ideia do que era?

Meg fez que não com a cabeça.

— Não. Não muita. Só uma ideia por conta do lugar onde ele estava.

— E onde era?

— Teve um tempo no Novo México; nós fomos; depois ele foi para a Flórida, no Cabo Canaveral, e nós também fomos. E aí ele ia passar um tempo viajando bastante, por isso viemos para cá.

— Vocês sempre tiveram essa casa?

— Sempre. Mas antes só vínhamos para passar as férias.

— E você não sabe para onde mandaram seu pai?

— Não. No início nós recebíamos muitas cartas. A Mãe e o Pai se escreviam todos os dias. Acho que a Mãe ainda escreve para ele toda noite. De vez em quando a moça do correio faz uma piadinha sobre as cartas.

— Eu acho que pensam que ela está correndo atrás dele, ou qualquer coisa assim — disse Calvin, amargurado. — Não conseguem entender amor puro e simples mesmo quando ele está diante do nariz. Bom, continue. E depois, o que aconteceu?

— Nada — respondeu Meg. — O problema é esse.

— Mas e as cartas do seu pai?

— Simplesmente pararam de chegar.

— Vocês não sabem nada de nada?

— Não — disse Meg. — Nada. — Sua voz pesava de aflição.

O silêncio abateu-se sobre os dois, tão real como as sombras escuras das árvores que caíam sobre seus colos e que agora pareciam deitar-se sobre eles, como se tivessem peso.

Enfim Calvin falou com uma voz seca, sem emoção, sem olhar para Meg.

— Você acha que ele pode ter morrido?

Meg deu outro salto, e Calvin teve que puxá-la de novo.

— Não! Eles nos contariam! Sempre tem um telegrama, ou coisa do tipo. Sempre contam!

— E o que eles *contaram?*

Meg segurou o choro e conseguiu falar.

— Ah, Calvin... A Mãe já tentou descobrir várias vezes. Foi até Washington e tudo. Só dizem que ele está numa missão secreta, perigosa, e que ela tem que ter muito orgulho dele, mas que ele não vai poder... se comunicar com a gente por um tempo. E que eles nos darão notícias assim que tiverem.

— Meg, não fique brava, mas você não considera que talvez *eles* não saibam?

Uma lágrima escorreu devagar pelo rosto de Meg.

— É disso que eu tenho medo.

— Por que você não chora? — perguntou Calvin com toda delicadeza. — Você é louca pelo seu pai, não é? Vai, pode chorar. Vai fazer bem.

A voz de Meg saiu trêmula entre as lágrimas.

— Eu choro demais. Eu deveria ser igual à Mãe. Deveria me controlar.

— Sua mãe é outra pessoa, totalmente diferente e bem mais velha.

— Eu queria ser outra pessoa — disse Meg, abalada. — Eu me odeio.

Calvin estendeu a mão e tirou os óculos de Meg. Então puxou um lenço do bolso e enxugou as lágrimas dela. Este gesto de ternura a desarmou por completo. Ela levou a cabeça até os joelhos e soluçou. Calvin ficou em silêncio ao seu lado, de vez em quando fazendo carinho no seu cabelo.

— Desculpe. — Ela deu o último soluço. — Desculpe mesmo. Agora você vai me odiar.

— Ah, Meg, você é *mesmo* uma bobona — disse Calvin. — Ainda não viu que você é a melhor coisa que me aconteceu em muito tempo?

Meg ergueu a cabeça, e o luar brilhou no seu rosto manchado de lágrimas; sem óculos, seus olhos eram de uma beleza inesperada.

— Se Charles Wallace é uma anomalia, acho que eu sou um erro biológico.

O luar cintilou no aparelho dos dentes enquanto ela falava.

Ela ficou esperando ser desmentida. Mas Calvin falou:

— Sabia que é a primeira vez que eu vejo você sem óculos?

— Eu fico cega que nem uma toupeira sem eles. Eu sou míope como o Pai.

— Bom, quer saber? Você tem olhos maravilhosos — disse Calvin. — Olha, você não tire esses óculos, viu? Acho que eu não quero mais ninguém vendo esses olhos lindos.

Meg sorriu de satisfação. Sentiu que estava corando e ficou imaginando se o rubor seria visível ao luar.

— Ok, os dois podem parar. — Uma voz veio das sombras. Charles Wallace apareceu ao luar. — Eu não estava espiando — disse ele, depressa —, e não gosto de estragar nada, mas chegou a hora, garotada! — Sua voz tremia de empolgação.

— Hora do quê? — perguntou Calvin.

— Estamos indo.

— Indo? Aonde? — Meg estendeu a mão e, por instinto, agarrou a de Calvin.

— Não sei bem — disse Charles Wallace. — Mas acho que é para encontrar o Pai.

De repente, dois olhos pareceram saltar das trevas sobre eles; era o luar refletido nos óculos da Sra. Quem. Ela estava ao lado de Charles Wallace. Como ela conseguira aparecer naquele ponto onde um instante atrás não havia nada além de sombras tremulantes ao luar, Meg não tinha ideia. Ela ouviu um barulho atrás de si e se virou. Ali estava a Sra. Quequeé tentando pular o muro.

— Ah, como eu queria que não houvesse vento — disse a Sra. Quequeé, em tom queixoso. — É tão *difícil* com todas essas roupas. — Ela usava o mesmo traje da noite anterior, até as mesmas botas de borracha, com o acréscimo de um dos lençóis da Sra. Buncombe no qual havia se enrolado. Quando ela desceu do muro, o lençol se prendeu em um galho baixo e se soltou. O chapéu de feltro escorregou sobre os dois olhos, e outro galho prendeu o cachecol rosa. — Ah, *puxa* — suspirou. — *Nunca* que eu vou aprender.

A Sra. Quem foi flutuando na direção dela, os pezinhos que mal pareciam tocar o chão, as lentes dos óculos a tremeluzir.

— *Come t'è picciol fallo amaro morso!* Dante. *Que grande dor uma pequena falha pode causar!* — Com a mão parecida com uma garra, ela ajeitou o chapéu na testa da Sra. Quequeé, desenredou o cachecol da árvore e, com um gesto hábil, pegou o lençol e o dobrou.

— Ah, *obrigada* — disse a Sra. Quequeé. — Você é *tão* inteligente!

— *Un asno viejo sabe más que un potro.* A. Perez. *Um burro velho sabe mais que um potro.*

— Só porque você tem uns míseros bilhões de anos a mais... — A Sra. Quequeé começava a soar indignada quando uma voz estranha e afiada se intrometeu.

— Ccheega, garoottaass. Iiisso nnãoo éé hooraa dde brrii-ggaarr.

— É a Sra. Qual — disse Charles Wallace.

Ouviu-se uma leve lufada do vento, as folhas tremeram, os desenhos do luar mudaram de posição e, dentro de um círculo prata, alguma coisa se tremeluziu, balançou, e a voz disse:

— Acchoo quee nnão voou mme maatteriallizaar inteeiira. Accho muuitto cannsattivvo ee teemmos mmuiitta cooisaa pellaa frreentte.

4

A Coisa Escura

As árvores foram açoitadas e balançaram com furor e violência. Meg gritou e agarrou-se em Calvin. A voz impositiva da Sra. Qual a advertiu:

— Ssilêênccio, criançça!

Foi uma sombra que caiu sobre a lua ou a lua simplesmente se apagou, extinta de forma tão abrupta e completa como uma vela? Ainda se ouvia o barulho das folhas, um farfalhar tão aterrorizante quanto aterrorizado. Toda luz desapareceu. A treva era integral. De repente o vento se foi, assim como todo som. Meg sentiu que Calvin estava sendo arrancado dela. Quando ela estendeu o braço, seus dedos não tocaram nada.

Ela gritou "Charles!". Não saberia dizer se era para ajudá-lo ou para pedir ajuda. A palavra lhe foi devolvida goela abaixo e ela se engasgou.

Meg estava completamente só.

Ela havia perdido a proteção da mão de Calvin. Charles não estava em lugar algum, fosse para salvá-la ou para ser salvo. Ela estava sozinha em um fragmento de nulidade. Nenhuma luz, nenhum som, nenhuma sensação. Onde estava seu corpo? Em pânico, ela tentou se mexer, mas não havia nada a mexer. Tal como luz e som haviam sumido, ela também sumira. A Meg corpórea simplesmente deixou de existir.

Então, ela voltou a sentir os membros. As pernas e os braços formigavam de leve, como se tivessem ficado dormentes. Piscou os olhos, bem rápido. Embora ela, de algum jeito, estivesse de volta, nada mais havia voltado. Não era algo simples como o escuro ou a ausência de luz. O escuro tem algo de tangível; é possível se mover através dele, você pode senti-lo; no escuro, você caminha e pode bater a canela; o mundo das coisas segue existindo ao seu redor. Aquilo em que ela estava perdida era o vácuo horripilante.

O silêncio era a mesma coisa. Aquilo era mais que silêncio. Surdos conseguem sentir vibrações. Ali, não havia nada a sentir.

De repente ela percebeu que seu coração batia rápido dentro da caixa torácica. Ele havia parado? O que o fizera retomar a batida? O formigamento nos braços e nas pernas começou a ficar mais forte e, de repente, ela sentiu um movimento. Ela sentia o que devia ser a Terra girando, rotacionando em seu eixo, fazendo sua jornada elíptica em torno do sol. E esta sensação de se movimentar com a Terra era similar à sensação de estar no oceano, à deriva no mar e além do subir e descer da rebentação, boiando sobre a água em movimento, pulsando delicadamente com as cheias e sentindo a atração suave e inexorável da lua.

Estou dormindo; estou sonhando, pensou. *É um pesadelo. Eu quero acordar. Me deixem acordar.*

— Ora, ora! — disse a voz de Charles Wallace. — Que viagem louca! Eu acho que vocês poderiam ter avisado.

A luz começou a pulsar e tremer. Meg piscou e ajeitou os óculos ainda tremendo. Lá estava Charles Wallace à sua frente, indignado e com as mãos na cintura.

— Meg! — berrava ele. — Calvin! Onde vocês estão?

Ela viu Charles, escutou-o, mas não conseguia ir ao lugar onde ele estava. Não conseguia abrir caminho em meio àquela luz estranha e tremulante para encontrá-lo.

A voz de Calvin saiu como se estivesse tentando passar por uma nuvem.

— Bom, me dê mais um tempo, pode ser? Eu sou mais velho.

Meg perdeu o fôlego. Não foi o caso de Calvin não estar lá e de repente estar. Não foi o caso de parte dele aparecer primeiro e depois o resto, como uma mão e depois um braço, um olho e depois um nariz. Foi como um tremeluzir, como enxergar Calvin no meio da água, através da fumaça, atrás do fogo, e aí sim ele apareceu, sólido e transmitindo confiança.

— Meg! — veio a voz de Charles Wallace. — Meg! Calvin, onde está a Meg?

— Estou bem aqui — ela tentou dizer, mas parecia que sua voz não conseguia brotar.

— Meg! — berrou Calvin e ficou se virando para um lado e para o outro, procurando por ela, nervoso.

— Sra. Qual, a senhora não deixou Meg *para trás*, deixou? — gritou Charles Wallace.

— Se vocês machucaram Meg, seja quem for — Calvin começou a falar, mas de repente Meg sentiu um puxão forte e alguma coisa se estilhaçou, como se ela tivesse sido jogada contra uma parede de vidro.

— Ah, *aí* está você! — disse Charles Wallace, correndo para abraçá-la.

— Mas *onde* eu estou? — perguntou Meg, esbaforida, mas aliviada em ouvir que sua voz agora saía dela de um jeito mais ou menos normal.

Ela começou a olhar ao seu redor com nervosismo. Eles estavam em pé em um campo ensolarado. O ar ao redor deles movia-se com aquela fragrância deliciosa que só aparece em raros dias de primavera, quando o toque do sol é suave e as macieiras começam a desabrochar as flores. Ela ajeitou os óculos sobre o nariz para ter certeza de que o que via era real.

Eles haviam deixado o brilho prata de uma gélida noite de outono; agora, ao redor deles, tudo se encontrava dourado pela luz. A relva do campo era de um verde viçoso, novo, e flores multicoloridas minúsculas espalhavam-se por tudo. Meg virou-se lentamente para encarar uma montanha que chegava tão alto no céu que seu pico perdia-se numa coroa de nuvens brancas e fofinhas. Das árvores na base da montanha veio uma repentina cantoria de passarinhos. Havia uma atmosfera de tamanha paz e alegria inefáveis ao seu redor que as batidas loucas de seu coração diminuíram o passo.

"Quando iremos nós três nos reencontrar,
À chuva, ao raio, ao trovejar"

surgiu a voz da Sra. Quem. De repente as três estavam ali: a Sra. Quequeé com o cachecol rosa torto; a Sra. Quem com os óculos cintilantes; e a Sra. Qual ainda pouco mais que um tremeluzir. Borboletas delicadas e multicoloridas esvoaçavam entre elas, como se armassem uma recepção.

A Sra. Quequeé e a Sra. Quem começaram a rir, e riram até dar a impressão que, qualquer que fosse a piada entre as duas, iriam cair no chão de tão engraçado que aquilo era. O tremeluzir parecia rir junto, depois ficou um pouco mais escuro e mais sólido; e então apareceu, naquele lugar, uma bruxa de manto preto, chapéu negro e pontudo, olhos brilhantes e redondos, nariz bicudo e longos cabelos grisalhos; uma garra ossuda agarrava uma vassoura.

— Ennttão... Aappenass pparaa voccêês sse ddivveertiiremm — disse a estranha voz, e a Sra. Quequeé e a Sra. Quem caíram uma nos braços da outra, às gargalhadas.

— Se as senhoras já se divertiram o bastante, acho que podiam explicar melhor a Calvin e Meg o que significa tudo isso — disse Charles Wallace, em tom gélido. — Deixaram Meg hiper assustada quando fizeram ela chispar para cá sem aviso.

— *Finxerunt animi, raro et perpauca loquentis* — entoou a Sra. Quem. — Horácio. *Pouco dado à ação e menos às palavras.*

— Sra. Quem, gostaria que parasse com as citações! — Charles Wallace soou muito incomodado.

A Sra. Quequeé arrumou seu cachecol.

— Mas ela acha tão difícil verbalizar, Charles, querido! Fica melhor se ela puder citar em vez de elaborar suas próprias palavras.

— Ee nnãoo devveemmoss perrdderr noossoo seennsso dde humor — disse a Sra. Qual. — O únniicoo mooddoo dee liidaarr comm allggo ttãoo séérriio é trraattaar coomm umm ppouucco mmaiis dde llevveezza.

— Mas com Meg será difícil — disse a Sra. Quequeé. — Vai ser difícil para ela entender que falamos *sério*.

— E eu? — perguntou Calvin.

— A vida do seu pai não está em jogo — respondeu a Sra. Quequeé.

— E Charles Wallace, então?

A voz de dobradiça sem óleo da Sra. Quequeé ficou cálida de afeto e orgulho.

— Charles Wallace sabe. Charles Wallace sabe que é muito mais que a vida de seu pai. Charles Wallace sabe o que está em jogo.

— Mas lembrem-se — disse a Sra. Quem — Αεηπου ουδὲν, πὰντα δ' εηπίζειν χρεωτ. Eurípedes. *Nunca se perde a esperança; devemos ter esperança em relação a tudo."*

— Onde estamos agora e como chegamos aqui? — quis saber Calvin.

— Uriel, terceiro planeta da estrela Malak, na nebulosa espiral Messier 101.

— E é para eu acreditar nisso? — perguntou Calvin, indignado.

— Commoo ppreefferiirr — respondeu a Sra. Qual, com frieza.

Por algum motivo Meg achou que a Sra. Qual, apesar do visual e da vassoura efêmera, era alguém em quem se podia depositar total confiança.

— Não me parece mais esquisito do que tudo que já aconteceu.

— Bom, então, alguém me diz como foi que chegamos aqui! — A voz de Calvin ainda soava raivosa e suas sardas pareciam saltar do rosto. — Mesmo viajando na velocidade da luz, demoraria anos e mais anos.

— Ah, mas não viajamos a velocidade *alguma* — explicou a Sra. Quequeé. — Nós *tesseramos*. Ou fazemos *dobras*.

— Claríssimo como a lama — disse Calvin.

Tesserar, pensou Meg. Teria algo a ver com o tesserato da sua Mãe?

Ela estava prestes a perguntar quando a Sra. Qual começou a falar, e ninguém interrompia a Sra. Qual quando ela estava falando.

— A Sraa. Quequeé éé jjovveem ee inngêênua.

— Ela continua achando que consegue explicar tudo com *palavras* — disse a Sra. Quem. — *Qui plus sait, plus se tait*. É francês, entenderam? *Quanto mais sabe o homem, mais se cala*.

— Mas para Meg e Calvin entenderem ela tem que usar palavras — lembrou Charles à Sra. Quem. — Se você os trouxe, eles têm direito de saber o que está acontecendo.

Meg dirigiu-se à Sra. Qual. Devido à intensidade da sua pergunta, ela havia se esquecido do tesserato.

— Meu pai está aqui?

A Sra. Quem fez que não.

— Nnãoo aqui, Megg. A Sraa. Quueequeéé exxplliccaráá. Ella éé mooçça e aa liingguaaggemm daas pallavvrras é maaiss fáccill ppara ella ddo quee éé ppara a Sraa. Quueem e eeu.

— Paramos aqui, em parte, para recuperarmos o fôlego — explicou a Sra. Quequeé. — E para que tivessem chance de entender o que vão enfrentar.

— Mas e o Pai? — perguntou Meg. — Ele está bem?

— No momento, sim, amada. Ele é um dos motivos pelos quais estamos aqui. Mas percebam que é apenas um.

— Mas onde ele está? Me levem até ele, por favor!

— Ainda não podemos — disse Charles. — Você precisa ser paciente, Meg.

— Mas eu *não sou* paciente! — gritou Meg, com força. — Nunca fui!

Os óculos da Sra. Quem brilharam para ela com suavidade.

— Se quiser ajudar seu pai, terá que aprender a paciência. *Vitam impendere vero. Consagrar sua vida à verdade.* É o que temos que fazer.

— É o que seu pai está fazendo — concordou a Sra. Quequeé, com a voz séria e solene tal como a da Sra. Quem. Então, ela deu mais um sorriso radiante. — Muito bem! Por que vocês três não dão uma volta e o Charles lhes explica uma parte? Vocês estão totalmente seguros em Uriel. Por isso que paramos aqui para descansar.

— Mas vocês não vão vir com a gente? — perguntou Meg, temerosa.

Houve um instante de silêncio. Então a Sra. Qual ergueu a mão impositiva.

— Mmosttrre a elless — disse ela à Sra. Quequeé. Algo na voz dela fez Meg sentir comichões de apreensão.

— *Já?* — perguntou a Sra. Quequeé, a voz rangedora agora elevando o tom a um guincho. Seja lá o que fosse que a Sra. Qual queria que elas vissem, era algo que também deixava a Sra. Quequeé desconfortável.

— Jáá — disse a Sra. Qual. — É bbomm queee saaiibaamm.

— Devo... devo me *transformar?* — perguntou a Sra. Quequeé.

— Éé mmellhoor.

— Espero que isso não assuste as crianças — balbuciou a Sra. Quequeé, como se falasse consigo.

— Devo me transformar também? — perguntou a Sra. Quem. — Ah, mas eu me diverti tanto nestes trajes. Mas tenho que admitir que a Sra. Quequeé é a melhor nisso. *Das Werk lobt den Meister.* Alemão. *O trabalho prova o artesão.* Devo me transformar agora?

Sra. Qual fez que não com a cabeça.

— Aainndda não. Nnããoo aqui. Vvocêê ppodee essperarr.

— Não tenham medo, amadinhos — disse a Sra. Quequeé. E seu corpinho rechonchudo começou a tremeluzir, vibrar e se agitar. As cores insanas de suas roupas ficaram esmaecidas, esbranquiçadas. O contorno em formato de saco de batatas se esticou, se espichou, se misturou. E de repente pairava diante das crianças a criatura mais linda que Meg jamais imaginara, de uma beleza que residia em mais que a aparência externa. Por fora, a Sra. Quequeé com certeza não era mais a Sra. Quequeé. Era um corpo de mármore branco com flancos potentes, algo que parecia um cavalo mas, ao mesmo tempo, era totalmente diferente de um cavalo, pois das costas esplendidamente modeladas projetava-se um torso nobre, braços e uma cabeça que parecia de homem, mas um homem com a perfeição da dignidade e da virtude, uma exaltação da felicidade tal como Meg nunca havia visto. *Não*, pensou ela, *não pode ser um centauro grego. Não pode.*

Dos ombros, aos poucos desdobrou-se um par de asas, asas feitas de arco-íris, de luz sobre a água, de poesia.

Calvin caiu de joelhos.

— Não — disse a Sra. Quequeé, embora sua voz não fosse mais a da Sra. Quequeé. — Não para mim, Calvin. Nunca para mim. Levante-se.

— Lleevee-oss — ordenou a Sra. Qual.

Com um gesto tão delicado quanto forte, a Sra. Quequeé ajoelhou-se diante das crianças, esticando as asas e mantendo-as firmes, mas palpitantes.

— Agora, subam às minhas costas — disse a nova voz.

As crianças deram passos titubeantes rumo à bela criatura.

— Mas agora chamamos você do quê? — perguntou Calvin.

— Ah, meus queridos — disse a nova voz, uma voz opulenta e com a calidez de um instrumento de sopro, a pureza de uma trombeta, o mistério de um corne inglês. — Vocês não podem mudar meu nome cada vez que eu me metamorfosear. E foi um prazer tão grande ser a Sra. Quequeé que acho melhor usarem este. — Ela? ele? aquilo? sorriu para eles, e a luminosidade do sorriso foi tão palpável quanto a brisa, tão precisamente quente quanto os raios de sol.

— Venham. — Charles Wallace subiu nas costas da Sra. Quequeé.

Meg e Calvin seguiram-no, Meg sentando-se entre os dois garotos. Um tremor perpassou as grandes asas, e então a Sra. Quequeé alçou-se e eles estavam nos ares.

Meg logo percebeu que não havia necessidade de agarrar-se a Charles Wallace ou a Calvin. O voo da grande criatura era sereno de tão suave. Os meninos olhavam a paisagem com grande avidez.

— Vejam! — apontou Charles Wallace. — As montanhas são tão altas que não se enxerga onde terminam.

Meg olhou para cima e, de fato, era como se as montanhas tocassem o infinito.

Eles deixaram as terras férteis e voaram sobre um grande platô de rochas similares a granito, moldadas na forma de gigantescos monólitos. Elas tinham uma forma definida, ritmada, mas não eram estátuas; não se pareciam com nada que Meg já havia visto, e ela ficou se perguntando se haviam sido feitas pelo vento e pelo clima, pela formação desta terra, ou se eram criação de seres como aquele que ela cavalgava.

Eles deixaram a grande planície de granito e voaram sobre um jardim ainda mais belo que qualquer sonho. Nele estavam reunidas várias criaturas como aquela que a Sra. Quequeé havia se tornado, algumas deitadas entre flores, algumas nadando num amplo rio de cristal que fluía pelo jardim, algumas voando no que Meg tinha certeza que era um tipo de dança, entrando e saindo do topo das árvores. Estavam fazendo música, uma música que vinha não só de suas gargantas, mas também do movimento das suas asas.

— O que estão cantando? — perguntou Meg, empolgada.

A Sra. Quequeé balançou sua linda cabeça.

— Não há como colocar nas suas palavras: não tenho como transferir para suas palavras. Entendeu alguma coisa, Charles?

Charles Wallace estava imóvel nas costas largas. Em seu rosto, um olhar de atenção firme, o olhar que tinha quando analisava Meg ou sua mãe.

— Um pouco. Muito pouco. Mas acho que com o tempo conseguirei captar mais.

— Sim. Você é capaz de aprender, Charles. Mas agora não temos tempo. Só podemos ficar aqui tempo o bastante para descansar e fazer alguns preparativos.

Meg mal a escutava.

— Eu quero saber o que eles dizem! Quero saber o que significa.

— Tente, Charles — encorajou-o a Sra. Quequeé. — Tente traduzir. Você pode se soltar agora. Não precisa mais se segurar.

— Mas eu não consigo! — gritou Charles Wallace, com tom de angústia na voz. — Eu não sei o bastante! Ainda não sei!

— Então tente trabalhar comigo e verei se consigo verbalizar um pouco para eles.

Charles Wallace entrou em sua expressão profunda, ouvindo atentamente.

Eu conheço esse olhar!, pensou Meg de repente. *Agora eu acho que sei o que significa! Porque eu mesma já tive esse olhar enquanto fazia contas com o Pai, quando um problema está prestes a se resolver*

A Sra. Quequeé parecia escutar os pensamentos de Charles.

— Bom, sim, é uma ideia. Posso tentar. Que pena que você não saiba como me passar diretamente, Charles. Essa maneira é tão trabalhosa.

— Não seja preguiçosa — disse Charles.

A Sra. Quequeé não se ofendeu. Ela explicou:

— Ah, mas isso é o que eu mais gosto de fazer, Charles. Por isso que elas me escolheram para acompanhá-los, mesmo eu sendo a mais nova. É meu único talento de fato. A questão é que consome uma energia tremenda, e vamos precisar de cada grama de energia para o que vem pela frente. Mas vou tentar. Tentarei por Meg e Calvin. — Ela ficou em silêncio; as grandes asas quase pararam de se mover; apenas um leve adejar parecia mantê-los em voo. — Pois ouçam — disse ela. A voz ressoante cresceu e foi como se as palavras estivessem circundando-os, de modo que Meg sentia que quase poderia esticar os braços e tocá-las. — *Cantai ao Senhor uma nova canção e louvai até os confins da terra, vós que descem ao mar e tudo que lá se encontra;*

as ilhas e seus habitantes. Que a floresta e as cidades ergam as vozes; que os habitantes da rocha cantem, que gritem do alto das montanhas. Que tragam glória ao Senhor!

Meg sentiu um palpitar de júbilo pelo corpo tal como nunca havia sentido. A mão de Calvin tocou na dela, mas ele não entrelaçou a mão na dela; apenas moveu os dedos, mal tocando Meg, mas deixando que o júbilo fluísse por eles, entre eles, em torno deles, sobre eles, dentro deles.

A Sra. Quequeé soltou um suspiro. Era absolutamente incompreensível que em meio a tanta glória surgisse o menor murmúrio de dúvida.

— Agora temos que ir, crianças. — A voz da Sra. Quequeé era pesada de tristeza, e Meg não conseguiu entender. Erguendo a cabeça, a Sra. Quequeé vocalizou algo que parecia uma ordem. Uma das criaturas que voava sobre as árvores mais próximas deles ergueu a cabeça para ouvir, saiu a voar, colheu três flores de uma árvore que crescia perto do rio e as trouxe. — Cada um de vocês pega uma destas — disse a Sra. Quequeé. — Depois lhes direi como usar.

Quando Meg pegou sua flor, percebeu que não era só um botão, mas centenas de minúsculas florezinhas que formavam uma espécie de sino sem badalo.

— Agora, onde vamos? — perguntou Calvin.

— Para cima.

As asas movimentavam-se velozes e firmes. O jardim ficou para trás com seu trecho de granito e suas formas poderosas. Então, a Sra. Quequeé voou alto, subindo firmemente, sempre ao alto. Abaixo deles, as árvores das montanhas rarearam, ficando espaçadas, substituídas por arbustos, depois por grama baixa e seca. Depois a vegetação terminou por completo e haviam apenas rochas, pontas e cumes de rocha, afiados e perigosos.

— Segurem-se bem — disse a Sra. Quequeé. — Não escorreguem.

Meg sentiu o braço de Calvin circundar sua cintura, prendendo-a com segurança.

Eles seguiram subindo.

Agora se encontravam nas nuvens. Não viam nada além da branquidão que ali flutuava. A umidade grudava-se neles e condensava-se em gotículas de gelo. Conforme Meg tremia, mais forte era o abraço de Calvin. À frente dela, Charles Wallace estava sentado em silêncio. Uma só vez ele virou-se o bastante para lhe dar um rápido olhar de carinho e preocupação. Mas Meg sentiu como se a cada momento que passava ele ficava mais e mais distante, que cada vez era menos seu adorado irmãozinho e mais se aproximava do que quer que a Sra. Quequeé, a Sra. Quem e a Sra. Qual fossem de fato.

De repente, eles emergiram das nuvens, entrando num raio de luz. Abaixo deles ainda havia rochas; acima, as rochas prosseguiam em direção ao céu. Só que, agora, embora parecessem estar a quilômetros de altura, Meg conseguia ver onde a montanha enfim chegava ao pico.

A Sra. Quequeé continuou a escalar, suas asas fazendo um pouco de força. Meg sentiu o coração acelerar; um suor frio começou a acumular-se no seu rosto e ela sentia como se seus lábios estivessem ficando azuis. Ela começou a ficar sem ar.

— Certo, crianças. Agora usem suas flores — disse a Sra. Quequeé. — A atmosfera vai ficar mais rarefeita daqui em diante. Posicionem as flores na frente do rosto e respirem através delas. Elas lhe darão oxigênio suficiente. Não tanto quanto estão acostumados, mas o bastante.

Meg quase havia se esquecido das flores e ficou grata em perceber que ainda as segurava, que não havia deixado que elas escorregassem por entre seus dedos. Apertou o rosto contra os botões e inspirou fundo.

Calvin ainda a abraçava com um dos braços, mas também segurava as flores diante do rosto.

Charles Wallace mexia a mão com as flores devagar, quase como se estivesse em um sonho.

As asas da Sra. Quequeé faziam força contra a atmosfera pouco densa. O pico estava logo acima. De repente, eles estavam lá. A Sra. Quequeé foi descansar em um pequeno platô de rocha prateada. Ali, à frente deles, via-se um grande disco branco.

— Uma das luas de Uriel — disse a Sra. Quequeé, sua potente voz discretamente sem fôlego.

— Ai, que linda! — exclamou Meg. — Linda!

A luz prateada da gigantesca lua banhou-os, misturando-se à tez dourada do dia, fluindo sobre as crianças, sobre a Sra. Quequeé, sobre o ápice da montanha.

— Agora vamos nos virar — disse a Sra. Quequeé. Pelo tom da voz, Meg voltou a ter medo.

Mas quando se viraram, não viram nada. Diante deles havia o azul-claro e rarefeito do céu; abaixo, as rochas que se projetavam entre o mar revolto de nuvens brancas.

— Agora vamos aguardar o pôr do sol e o pôr da lua — disse a Sra. Quequeé.

Quase no mesmo instante em que ela falou, a luz começou a ficar mais intensa, mais escura.

— Quero assistir ao pôr da lua — disse Charles Wallace.

— Não, criança. Não se vire, não se virem, nenhum de vocês. Voltem o rosto para o escuro. O que tenho a lhes mostrar ficará mais visível. Olhem à frente, em linha reta, até onde tiverem condições de enxergar.

Os olhos de Meg arderam do esforço de olhar e não ver nada.

Então, sobre as nuvens que circundavam a montanha, foi como se ela houvesse visto uma sombra, algo apagado pelas trevas tão distantes que ela mal tinha certeza que via.

Charles Wallace perguntou:

— O que é aquilo?

— Aquilo ali que parece uma sombra — apontou Calvin. — O que é? Eu não gostei.

— Observem — ordenou a Sra. Quequeé.

Era uma sombra, nada mais que uma sombra. Não era nem tangível como uma nuvem. Seria projetada por algo? Ou era uma Coisa em si?

O céu escureceu. O tom dourado deixou a luz e eles foram cercados pelo azul, que se aprofundou, e, onde antes não havia nada além do céu noturno, agora havia o débil pulsar de uma estrela, depois mais outra e mais outra e mais outra. Mais estrelas do que Meg já havia visto.

— Aqui a atmosfera é tão rarefeita — disse a Sra. Quequeé, como se em resposta a uma pergunta que ninguém fizera —, que não obscurece a vista como no seu lar. Agora observem. Olhem bem à frente.

Meg observou. A sombra negra continuava lá. Não havia diminuído nem se dispersado com a chegada da noite. E onde havia a sombra, as estrelas não eram visíveis.

O que poderia haver de tão terrível numa sombra que ela sabia que nunca houvera ou voltaria a haver, algo que a daria calafrios que iam muito além do tremer, muito além de chorar e gritar, além da possibilidade de reconforto?

A mão de Meg que segurava os botões de flor lentamente caiu e foi como se uma faca atravessasse seus pulmões. Ela arfou, mas não havia ar para que ela respirasse. As trevas velaram seus olhos e mente. Conforme ela mergulhava na inconsciência, porém, sua cabeça caiu às flores que ainda segurava;

e quando ela inalou a fragrância de sua pureza, sua mente e corpo reviveram e ela sentou-se mais uma vez.

A sombra continuava lá, escura, temível.

Calvin segurou a mão dela com força, mas ela não sentia nem vigor, nem segurança no toque. Ao lado dela, um tremor percorreu Charles Wallace, embora ele permanecesse muito quieto.

Ele não devia ver uma coisa dessas, pensou Meg. *É demais para um garotinho tão pequeno, por mais diferente e extraordinário que seja.*

Calvin virou-se, em recusa à Coisa escura que ocultava a luz das estrelas.

— Faça essa coisa sumir, Sra. Quequeé — sussurrou ele. — Faça ela sumir. Ela é maligna.

A grande criatura virou-se aos poucos para que a sombra ficasse às costas deles, para que vissem apenas as estrelas ainda não encobertas, o leve pulsar da luz estelar na montanha, o círculo descendente da grande lua rapidamente deslizando no horizonte. Então, sem que a Sra. Quequeé dissesse uma palavra, eles estavam descendo, descendo, descendo. Quando chegaram à coroa de nuvens, a Sra. Quequeé disse:

— Já podem respirar sem as flores, crianças.

Silêncio mais uma vez. Nem uma palavra. Era como se a sombra houvesse chegado com seu poder das trevas, e seu toque os tivessem incapacitado de falar. Quando voltaram ao campo florido, agora banhado pela luz das estrelas e o luar de outra lua, menor, mais amarela, em ascensão, um pouco da tensão deixou seus corpos e eles perceberam que o corpo da linda criatura na qual cavalgaram tinha estado tão rígido quanto o deles.

Com um gesto gracioso, ela desceu ao chão e dobrou as grandes asas. Charles Wallace foi o primeiro a apear.

— Sra. Quem! Sra. Qual! — chamou, e de imediato se viu uma vibração no ar. Os óculos já familiares da Sra. Quem cintilaram ao fitá-los. A Sra. Qual também apareceu; mas, tal como havia dito às crianças, tinha dificuldade em materializar-se por completo. Embora se vissem o manto e o chapéu pontudo, Meg conseguia enxergar a montanha e as estrelas através deles. Ela desceu das costas da Sra. Quequeé e caminhou, com passos nada firmes depois do comprido passeio, até a Sra. Qual.

— Aquela Coisa escura que vimos — disse ela. — É contra aquilo que meu pai está lutando?

5
O Tesserato

— Sim — disse a Sra. Qual. — Ellee esstáá aattrááss ddas trrevvaass, ppoor issoo nnemm nóós connseegguiimmos enxxeerggáá-llo.

Meg começou a chorar, a soluçar alto. Em meio às lágrimas, ela conseguia ver Charles Wallace parado à sua frente, tão pequeno, tão pálido. Calvin a abraçou, mas ela estremeceu e se soltou dele, soluçando descontroladamente. Então, foi envolvida pelas grandes asas da Sra. Quequeé, onde sentiu conforto e força derramarem-se por ela. A Sra. Quequeé não falava com as palavras, mas Meg a entendia através das asas.

— Não se desespere, criança. Acham que teríamos trazido vocês até aqui se não houvesse esperança? O que estamos lhes pedindo é complicado, mas estamos confiantes de que conseguirão. Seu pai precisa de ajuda, precisa de coragem e, pelos filhos, talvez consiga fazer o que não consegue por si só.

— Enttããoo — disse a Sra. Qual. — Ttoddoos pproonttoss?

— Aonde vamos? — perguntou Calvin.

Mais uma vez, Meg sentiu o formigamento de medo de que a Sra. Qual havia falado.

— Ttemmooss quuee chheeggarr attrráás dda soommbbraa.

— Mas não iremos de uma vez só. — A Sra. Quequeé os tranquilizou. — Faremos aos poucos. — Ela olhou para Meg. — Agora vamos tesserar, vamos fazer outra dobra. Entendido?

— Não — disse Meg, de maneira veemente.

A Sra. Quequeé soltou um suspiro.

— Não é fácil explicar quando estamos tratando de coisas para a qual sua civilização ainda não tem palavras. Calvin falou em viajar à velocidade da luz. Isso você entende, Megzinha?

— Sim — respondeu a menina.

— Este, evidentemente, é o caminho mais longo e não é prático. Aprendemos a tomar atalhos sempre que possível.

— Parecido com os da matemática? — perguntou Meg.

— Como os da matemática. — A Sra. Quequeé olhou para a Sra. Quem. — Mostre na sua saia.

— *La experiencia es la madre de la ciencia*. Espanhol, meus queridos. Cervantes. A *experiência é a mãe do saber*. — A Sra. Quem pegou uma parte do seu manto branco nas mãos e segurou firme.

— Vejam aqui — disse a Sra. Quequeé —, se um minúsculo inseto quisesse ir deste ponto da saia na mão direita da Sra. Quem para aquele ponto na mão esquerda, teria que fazer uma longa caminhada em linha reta.

A Sra. Quem juntou as duas mãos em um gesto rápido, ainda segurando a saia.

— Agora, vejam, ele *está* lá sem todo o deslocamento — disse a Sra. Quequeé. — É assim que viajamos.

Charles Wallace aceitou a explicação com toda a serenidade. Calvin também não pareceu incomodado.

— Ai, *não* — suspirou Meg. — Acho que sou mesmo uma bobona. Não entendi.

— É porque você só pensa o espaço em três dimensões — disse-lhe a Sra. Quequeé. — Nós viajamos na quinta dimensão. Você tem como entender, Meg. Não tenha medo de tentar. Sua mãe conseguiu lhe explicar um tesserato?

— Não, ela nunca explicou — disse Meg. — E ficou tão chateada com a palavra. Por quê, Sra. Quequeé? Ela disse que tinha a ver com ela e com o Pai.

— Era um conceito que eles vinham experimentando para cruzar da quarta para a quinta dimensão — disse Sra. Quequeé. — Sua mãe lhe explicou, Charles?

— Bom... sim. — Charles parecia um pouco envergonhado. — Por favor, Meg, não fique magoada. Você estava no colégio e eu fiquei insistindo até ela me contar.

Meg deu um suspiro.

— Então me expliquem.

— Certo — disse Charles. — Qual é a primeira dimensão?

— Ora... uma linha: ─────

— Certo. E a segunda dimensão?

— Bom, é a quadratura da linha. Um quadrado plano estaria na segunda dimensão.

— E a terceira?
— Bem, é o quadrado da segunda dimensão. Aí o quadrado não seria mais plano. Teria a parte de baixo, dos lados e de cima.

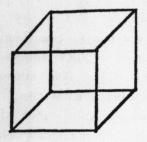

— E a quarta?
— Bom, se você quiser em termos matemáticos, seria o quadrado do quadrado. Mas não há como pegar um lápis e desenhar, como se faz com as três primeiras. Eu sei que tem a ver com Einstein e com o tempo. Acho que dá para chamar a quarta dimensão de Tempo.
— Isso mesmo — disse Charles. — Boa garota. Ok, então, na quinta dimensão, é só fazer o quadrado da quarta, certo?
— Acho que sim.
— Bom, a quinta dimensão é um tesserato. Você acrescenta esta às outras quatro e pode viajar no espaço sem ter que per-

correr o caminho mais comprido. Em outras palavras, colocando na geometria euclidiana, ou a boa e velha geometria plana, uma linha reta *não* é a distância mais curta entre dois pontos.

Por um breve segundo de esclarecimento, o rosto de Meg adquiriu a expressão pensativa, atenta, que tanto se via no de Charles.

— Captei! — gritou ela. — Entendi! Teve um momento em que eu entendi! Não tenho como explicar agora, mas teve um instante em que eu captei! — Ela virou-se empolgada para Calvin. — Você conseguiu?

Ele fez que sim com a cabeça.

— O suficiente. Não entendo igual a Charles Wallace, mas o suficiente para captar a ideia.

— Eenntããoo aggooraa vvammos — disse a Sra. Qual. — Nããoo teemooss ttodoo o teemmpoo ddo mmuunddoo.

— Podemos nos dar as mãos? — perguntou Meg.

Calvin pegou-a pela mão e segurou forte.

— Podem tentar — disse a Sra. Quequeé —, mas não sei como vai funcionar. Compreendam que, embora viajemos juntos, viajamos sozinhos. Vamos na frente e levaremos vocês depois no remanso. Creio que será mais fácil para vocês. — Enquanto ela falava, o grande corpo branco começou a tremular, as asas a se desfazerem na névoa. A Sra. Quem pareceu evaporar, até não sobrar nada além dos óculos. Então os óculos também desapareceram. O que fez Meg se lembrar do Gato de Cheshire.

Já vi várias vezes um rosto sem óculos, pensou ela, *mas nunca uns óculos sem rosto! Será que vou sumir assim também? Primeiro eu e depois os óculos?*

Ela olhou para a Sra. Qual. Ela estava ali e, de repente, não estava mais.

Uma lufada de vento bateu, depois houve um forte impulso e o barulho agudo de algo se estilhaçando, quando ela foi lançada através... do quê? Depois trevas; silêncio; o nada. Se Calvin ainda segurava sua mão, ela não sentia mais. Mas desta vez ela estava preparada para a dissolução repentina e total do corpo. Quando sentiu o formigamento voltar às pontas dos dedos, sabia que esta jornada estava quase no final e voltou a sentir a pressão das mãos de Calvin sobre as suas.

Sem aviso, com um choque total e inesperado, ela sentiu uma pressão que nunca havia imaginado, como se estivesse sendo totalmente achatada por um gigantesco rolo compressor. Era muito pior do que quando ela fora o nada; quando ela era nada, não havia necessidade de respirar. Mas agora, seus pulmões estavam sendo espremidos de tal modo que, embora estivessem sedentos de ar, não havia como se expandirem e contraírem; não havia como absorver o ar de que ela precisava para manter-se viva. Foi totalmente diferente do rarear da atmosfera quando eles voaram montanha acima e quando ela precisou levar as flores ao rosto para respirar. Ela tentou pegar fôlego, mas bonecas de papel não respiram. Pensou que estava tentando pensar, mas sua mente achatada era tão incapaz quanto seus pulmões; seus pensamentos foram achatados com o restante de seu ser. Seu coração tentou bater; fez um movimento como de uma faca, lateral, mas não conseguia expandir.

Mas então ela pareceu ouvir uma voz ou, se não uma voz, pelo menos palavras, palavras achatadas, como se impressas em papel.

— Ai, não! Não podemos parar aqui! Este planeta é *bidimensional*! As crianças não conseguem lidar com isso!

Ela foi mais uma vez despachada a toda velocidade ao nada, e o nada era maravilhoso. Ela não se importou de não sentir a mão de Calvin, de não poder enxergar, nem sentir, nem ser. O alívio daquela pressão intolerável era tudo de que precisava.

Então, o formigamento começou a voltar a seus dedos dos pés e das mãos; ela sentiu Calvin segurando-a com força. O coração de Meg batia com regularidade; o sangue fluía pelas suas veias. Seja lá o que tivesse acontecido, o erro que fora cometido, já havia acabado. Ela achou ter ouvido a voz de Charles Wallace, as palavras redondas e cheias como deviam ser palavras faladas.

— *Francamente*, Sra. Qual! A senhora poderia ter-nos matado!

Desta vez, ela foi arrancada da temerosa quinta dimensão por um puxão repentino. Lá estava ela, de volta a seu ser, com Calvin a seu lado, segurando a sua mão com toda a firmeza que lhe era possível, e Charles Wallace à sua frente com cara de indignado. A Sra. Quequeé, a Sra. Quem e a Sra. Qual não estavam visíveis, mas eles sabiam que elas estavam lá; a realidade da presença delas era forte ao redor de Meg.

— Ppeçço deesscculppass, crriiaannççass — surgiu a voz da Sra. Qual.

— Ora, Charles, acalme-se — disse a Sra. Quequeé, que não era mais o grande e belo animal da última vez que eles a haviam visto, mas estava em seu traje familiar e bagunçado com lenços e cachecóis, mais o sobretudo e o chapéu antigos de andarilha.
— Você sabe como é difícil para ela se materializar. Se você não é substancial, é *muito* difícil entender como o protoplasma é limitante.

— Ssinntto *mmmuiiitto*. — Surgiu a voz da Sra. Qual de novo; mas havia uma forte insinuação de que ela havia divertido-se com o ocorrido.

— *Não teve* graça — disse Charles Wallace, e bateu o pé de maneira infantil.

Os óculos da Sra. Quem brilharam e o resto de seu ser apareceu devagar logo atrás deles.

— *Somos da mesma matéria que se fazem os sonhos.* — Ela deu um sorriso largo. — Próspero, em A *Tempestade*. Eu *adoro* aquela peça.

— A senhora não fez *de propósito*, fez? — inquiriu Charles.

— Oh, meu querido, é claro que não — apressou-se em dizer a Sra. Quequeé. — Foi um erro muito compreensível. É difícil para a Sra. Qual pensar de modo corpóreo. Ela não os machucaria por querer; vocês sabem que não. E aquele planetinha é muito agradável, é um deleite ficar plano. Sempre gostamos quando o visitamos.

— E agora, onde estamos? — quis saber Charles Wallace. — E por quê?

— No cinturão de Órion. Temos uma amiga e queremos que vocês deem uma olhada no planeta de vocês.

— Quando vamos para casa? — perguntou Meg, nervosa. — E a Mãe? E os gêmeos? Eles vão ficar preocupadíssimos conosco. Se não aparecermos na hora de dormir… a Mãe deve estar desvairada. Ela, os gêmeos e o Fortin já saíram atrás de nós e é óbvio que eles não têm como nos encontrar!

— Ora, não se preocupe, meu doce — disse a Sra. Quequeé, bem animada. — Resolvemos tudo antes de partirmos. Sua mãe já tem se preocupado o bastante com você e Charles, e por não saber de seu pai, ela não precisa de nós trazendo ainda mais angústias para ela. Fizemos uma dobra no tempo e também uma dobra no espaço. É muito fácil de fazer quando se sabe como.

— O que você quer dizer? — perguntou Meg, queixosa. — Por favor, Sra. Quequeé, isso tudo é tão confuso.

— Descanse e não se preocupe com o que não deve incomodá-la — disse a Sra. Quequeé. — Fizemos um tesserzinho temporal bem bonitinho e, a não ser que algo dê muito errado, vocês voltarão cinco minutos depois de partir. Haverá tempo de sobra e as pessoas nunca precisarão saber que vocês saíram de lá. Embora, é claro, vocês vão contar para sua mãe, a pobre carneirinha. E, se algo der muito errado, não terá importância se voltaremos ou não.

— Nnããoo ooss aassuusttee — veio a voz da Sra. Qual. — Pperddeuu a coonnfiiannçça?

— Ai, não. Não, não perdi.

Mas Meg achou a voz da Sra. Quequeé um pouco enfraquecida.

— Espero que *este* planeta seja legal — disse Calvin. — Não conseguimos *ver* muita coisa. Essa neblina nunca vai embora?

Meg olhou ao seu redor, percebendo que estivera tão sem fôlego da jornada e da parada no planeta bidimensional que não havia notado a paisagem. E talvez não fosse surpresa, pois o principal da paisagem era exatamente que *não havia* o que notar. Parecia que eles estavam sobre uma superfície indefinível e plana. O ar em volta deles era cinzento. Não se tratava exatamente de uma neblina, mas Meg não conseguia enxergar nada além. A visibilidade se limitava aos corpos bem definidos de Charles Wallace e Calvin, os corpos inacreditáveis da Sra. Quequeé e da Sra. Quem, e o débil cintilar ocasional que era a Sra. Qual.

— Venham, crianças — disse a Sra. Quequeé. — Não temos que ir muito longe e podemos até caminhar. Fará bem esticar as pernas.

Enquanto andavam pelo acinzentado, Meg, vez por outra, observava rochas que pareciam formações de lava. Mas não havia sinal de árvores nem arbustos, nada afora chão reto sob os pés, nenhum sinal de qualquer tipo de vegetação.

Por fim, à frente deles pairava o que parecia ser uma colina de pedra. Ao se aproximarem, Meg viu que havia uma entrada que levava a uma caverna funda e escura.

— Vamos entrar aí? — perguntou ela, temerosa.

— Não tenham medo — disse a Sra. Quequeé. — É mais fácil para a Médium Contente trabalhar ali dentro. Ah, vocês vão gostar dela, crianças. É a alegria em pessoa. Se algum dia eu a vir triste, entrarei em depressão. Enquanto ela rir, fico confiante de que tudo dará certo.

— Ssra. Qqueequueé! — veio a voz grave da Sra. Qual. — Sserr mmoçça ccoommo voocêê nããoo éé moottivvo paaraa ffaallarr ttannttoo.

A Sra. Quequeé pareceu magoada, mas baixou o tom.

— Afinal, que *idade* a senhora tem? — perguntou Calvin.

— Só um instante. — A Sra. Quequeé começou a balbuciar e parecia fazer cálculos rápidos com os dedos. Fez um meneio de triunfo. — Exatamente 2.379.152.497 anos, 8 meses e 3 dias. Isto conforme o calendário de *vocês*, é claro, que até vocês sabem que não é preciso. — Ela aproximou-se de Meg e Calvin e sussurrou: — Foi mesmo uma *grande* honra ser escolhida para esta missão. É só porque eu consigo verbalizar e me materializar bem, entendem? Mas claro que não podemos receber todo o crédito por nossos talentos. O que conta é como nós os usamos. E eu cometo muitos erros. Por isso que a Sra. Quem e eu gostamos de ver a Sra. Qual cometer um engano, tal como quando ela tentou pousar no planeta bidimensional. Era *daquilo* que estávamos rindo, não de vocês. Ela ria dela mesma, entenderam? Ela é super boazinha conosco, as mais jovens.

Meg estava ouvindo com tanto interesse ao que a Sra. Quequeé dizia que mal notou quando entraram na caverna; a transição do cinza de fora para o cinza de dentro foi quase imperceptível. Ela viu uma luz bruxuleante à frente, à frente e abaixo, e foi esta direção que tomaram. Conforme se aproximavam, ela notou que se tratava de uma fogueira.

— Aqui faz muito frio — disse a Sra. Quequeé —, então pedimos para ela preparar uma boa fogueira para vocês.

Conforme se aproximavam da fogueira, eles viram uma sombra escura do lado oposto e, à medida que chegaram mais perto, viram que a sombra era uma mulher. Ela usava um lindo turbante de seda em um tom claro de malva e uma bata de cetim comprida, esvoaçante e roxa. Nas suas mãos havia uma bola de cristal, que ela observava com veemência. Parecia não ter percebido as crianças, nem a Sra. Quequeé, a Sra. Quem ou a Sra. Qual, mas seguia fitando a bola de cristal, e conforme observava, começou a rir; e ria sem parar do que quer que enxergasse ali.

A voz da Sra. Qual soou clara e forte, ecoando nas paredes da caverna, e as palavras caíram com um clangor sonoro.

— *CCHEEGGAAMMOSS!*

A mulher tirou os olhos da bola e, quando os viu, levantou-se e fez mesuras de muita reverência. A Sra. Quequeé e a Sra. Quem fizeram pequenas mesuras em resposta, e também o tremeluz pareceu curvar-se um pouco.

— Oh, querida Médium — disse a Sra. Quequeé —, estas são as crianças: Charles Wallace Murry. — Charles Wallace curvou-se. — Margaret Murry. — Meg pensou que, se a Sra. Quequeé e a Sra. Quem haviam feito mesuras, ela também tinha que fazer; e fez uma, um pouco desajeitada. — E Calvin O'Keefe. — Calvin só mexeu a cabeça. — Queremos que vejam o planeta natal deles — disse a Sra. Quequeé.

A Médium perdeu o sorriso de felicidade que ostentava até então.

— Ah, mas *por que* querem me fazer ver coisas desagradáveis quando há tantas maravilhas a se ver?

Mais uma vez, a voz da Sra. Qual reverberou pela caverna.

— Nnäão hhavveráá mmaiiss nnadda dde aggraaddávvel aa see vverr sse ass ppessooass de rressppoonsaabilldddadee nãão ttomaareemm uumma attiittuddee qquuantto àas ddesaaggrradáávveiiss.

A Médium soltou um suspiro e ergueu a bola de cristal.

— Olhem, crianças — disse a Sra. Quequeé. — Olhem bem.

— *Que la terre est petite à qui la voit des cieux!* Delille. *Como é pequena a Terra para quem a observa dos céus* — entoou a Sra. Quem, musicalmente.

Meg olhou na bola de cristal, de início com cautela, depois com uma crescente avidez, quando pareceu ver uma enorme extensão de espaço escuro e vazio, depois galáxias vindo por tudo. Finalmente, foi como se eles houvessem se aproximado de uma das galáxias.

— Sua Via Láctea — sussurrou a Sra. Quequeé para Meg.

Eles estavam indo em direção ao centro da galáxia; então saíram para um lado; parecia que as estrelas corriam contra eles. Meg lançou o braço sobre o rosto como se quisesse evitar o baque.

— Oolhheem! — ordenou a Sra. Qual.

Meg abaixou o braço. Parecia que eles estavam aproximando-se de um planeta. Ela achou que conseguia distinguir as calotas polares. Tudo parecia claro e brilhante.

— Não, não, Médium querida. Ali é Marte — repreendeu a Sra. Quequeé, com delicadeza.

— Preciso *mesmo*? — perguntou a Médium.

— AGGORAA! — ordenou Sra. Qual.

O planeta brilhante saiu da vista deles. Por um instante viu-se a escuridão do espaço; depois, outro planeta. Os contornos deste planeta não eram claros. Ele parecia coberto por uma neblina. Em meio à fumaça, Meg achou que conseguia distinguir os contornos dos continentes conforme as imagens de seu livro de Estudos Sociais.

— Não enxergamos direito por causa da atmosfera? — perguntou ela, nervosa.

— Nnããο, Mmegg, vvoccêê saabbee qquee nnããο é aa attmoossfeeeraa — disse a Sra. Qual. — Vvocêê prrecciisa tterr cooraaggemm.

— É a Coisa! — gritou Charles Wallace. — A Coisa Escura que vimos do topo da montanha em Uriel, quando cavalgamos a Sra. Quequeé!

— Ela simplesmente apareceu? — perguntou Meg, agoniada, sem conseguir tirar os olhos da moléstia da sombra que enegrecia a beleza da Terra. — Simplesmente apareceu quando não estávamos?

A voz da Sra. Qual parecia muito cansada.

— Ccontte aa ellaa — falou à Sra. Quequeé.

A Sra. Quequeé soltou um suspiro.

— Não, Meg. Ela não surgiu de repente. Está lá há muitos anos. É o motivo pelo qual seu planeta é tão conturbado.

— Mas por que... — Calvin começou a perguntar, sua voz um grasnado áspero.

A Sra. Quequeé ergueu a mão para ele não completar a pergunta.

— Nós lhes mostramos a Coisa Escura em Uriel antes por... ah, por vários motivos. Primeiro, porque a atmosfera no alto das montanhas era tão rarefeita que vocês podiam vê-la como é de fato. E achamos que seria mais fácil de vocês entenderem se vissem, bom, primeiro em *outro* lugar, não na Terra.

— Eu odeio isso! — gritou Charles Wallace, exaltado. — Odeio a Coisa Escura!

A Sra. Quequeé concordou com um gesto de cabeça.

— Sim, querido Charles. Todos odiamos. É outro motivo pelo qual queríamos preparar vocês em Uriel. Achamos que seria aterrorizante demais vê-la pela primeira vez em seu próprio e amado mundo.

— Mas o que é isso? — quis saber Calvin. — Sabemos que é maligno, mas o que é?

— Vvoccêê mmessmmoo diisseee! — ressoou a voz da Sra. Qual. — Éé o Mmaall! Ééé o Ppoodderr dass Trreevvasss!

— Mas o que vai acontecer? — A voz de Meg estremeceu. — Por favor, Sra. Qual, diga o que vai acontecer!

—Vvammoos coonnttinnuaarr lluttaanndoo!!

Algo na voz da Sra. Qual fez as três crianças ficarem mais eretas, projetando os ombros para trás com determinação, olhando o cintilar que era a Sra. Qual com orgulho e confiança.

— E não estamos sós, crianças, sabiam? — disse a Sra. Quequeé, a consoladora. — É uma luta que se trava em todo o universo, em todo o cosmos, e, minha nossa, é uma batalha tão grandiosa quanto apaixonante. Sei que é difícil para vocês entenderem escalas, mas há pouca diferença entre o tamanho do mínimo micróbio e da maior das galáxias. Se pensarem nisto, talvez não vá lhes parecer estranho que alguns dos melhores combatentes vieram do seu próprio planeta. E é um planeta *pequeno*, queridos, à beira de uma pequena galáxia. Deviam ter orgulho de ele ter se dado tão bem.

— Quem foram nossos combatentes? — perguntou Calvin.

— Ah, *você* deve conhecê-los, querido — disse a Sra. Quequeé. Os óculos da Sra. Quem brilharam sobre eles em tom triunfal.

— *E a luz resplandece nas trevas, e as trevas não a contêm.*

— Jesus! — disse Charles Wallace. — Ora, é claro, Jesus!

— É claro! — disse a Sra. Quequeé. — Prossiga, amado Charles. Houve outros. Todos os seus grandes artistas. Eles iluminaram nosso caminho.

— Leonardo da Vinci? — sugeriu Calvin, incerto. — E Michelangelo?

— E Shakespeare — gritou Charles Wallace.— E Bach! E Pasteur, Madame Curie, Einstein!

Agora a voz de Calvin soava confiante:

— E Schweitzer, Gandhi, Buda, Beethoven, Rembrandt, São Francisco!

— Agora você, Meg — ordenou a Sra. Quequeé.

— Ah, Euclides, imagino. — Meg estava em tal agonia da impaciência que sua voz saiu com um arranhado de irritação. — E Copérnico. Mas e o Pai? Por favor, e o Pai?

— Essttammoss iinndoo aa sseuu ppaai — disse a Sra. Qual.

— Mas onde ele está? — Meg foi até Sra. Qual e bateu o pé, como se tivesse a idade de Charles Wallace.

A Sra. Quequeé respondeu com voz baixa, mas firme:

— Em um planeta que sucumbiu. Por isso, preparem-se para ser fortes.

Todos os traços de alegria haviam deixado o rosto da Médium Contente. Ela ficou sentada, segurando a grande bola, olhando a Terra sob sombras, e uma lágrima lhe escorreu devagar pela bochecha.

— Eu não aguento mais! — soluçou ela. — Observem, crianças, observem!

6

A Médium Contente

Eles voltaram a focar na bola de cristal. A Terra, com a cobertura temível da sombra negra, saiu de vista e eles passaram depressa pela Via Láctea. E lá estava, mais uma vez, a Coisa.

— Observem! —disse a Médium para eles.

As Trevas pareciam se agrupar e se contorcer. Era para eles ficarem mais *calmos?*

De repente, uma grande explosão de luz no meio das Trevas. A luz se espalhou e, onde ela tocava, as Trevas sumiam. A luz se espalhou até o rastro da Coisa Escura sumir, viu-se um leve brilhar, e deste brilho vieram as estrelas, claras e puras. Então, bem devagar, o brilho minguou até que também sumiu e não havia nada mais além de estrelas e a luz que emitiam. Sem sombras. Sem medo. Apenas estrelas e o escuro puro do espaço, muito diferente das temíveis trevas da Coisa.

— Viram? — berrou a Médium, sorrindo de alegria. —Temos como vencê-la! Ela é vencida a todo momento!

A Sra. Quequeé soltou um suspiro, um suspiro tão triste que Meg quis lhe dar um abraço de consolo.

— Então, conte-nos exatamente o que aconteceu, por favor — pediu Charles Wallace, com a vozinha baixa.

— Aquilo era uma estrela — disse a Sra. Quequeé, em tom triste. — Uma estrela que desistiu de viver em guerra com a Coisa. Ela venceu, crianças. Ai, ela venceu. Mas, ao vencer, perdeu a vida.

A Sra. Qual voltou a falar. Sua voz parecia cansada, e eles sabiam que falar lhe demandava um esforço tremendo.

— Pparaa vvoocêê nããoo ffaaz ttannttoo ttemmppo, nnãão éé? — perguntou ela, com delicadeza.

A Sra. Quequeé fez que não.

Charles Wallace foi até a Sra. Quequeé.

— Entendi. Agora eu entendi. A senhora já foi uma estrela, não foi?

A Sra. Quequeé cobriu o rosto com as mãos, como se estivesse envergonhada, e fez que sim com a cabeça.

— E... a senhora fez a mesma coisa que aquela estrela?

Com o rosto ainda coberto, a Sra. Quequeé fez que sim de novo.

Charles Wallace olhou para ela com uma expressão solene.

— Eu queria lhe dar um beijo.

A Sra. Quequeé tirou as mãos do rosto e puxou Charles Wallace rapidamente para perto de si, para lhe dar um abraço. Ele botou os braços em volta do pescoço dela, apertou sua bochecha com a dela e lhe deu um beijo.

Meg também achou que deveria dar um beijo na Sra. Quequeé, mas, depois de Charles Wallace, qualquer coisa que ela ou Calvin fizessem ou dissessem seria como um anticlímax. Ela contentou-se em olhar para a Sra. Quequeé. Mesmo que estivesse acostumada à vestimenta estranha dela (e a estranheza era o que a fazia parecer tão reconfortante), ela percebeu e ficou mais uma vez chocada que não era a Sra. Quequeé que ela via.

A Sra. Quequeé completa, verdadeira, percebeu Meg, estava além da compreensão humana. O que ela via era só o jogo da Sra. Quequeé; era um jogo divertido, charmoso, um jogo cheio de riso e aconchego, mas apenas uma minúscula faceta de todas as coisas que a Sra. Quequeé *podia* ser.

— Eu não queria lhes contar — gaguejou a Sra. Quequeé. — Não queria que vocês soubessem. Mas, ah, queridos, eu amava tanto ser estrela!

— Vvoccêê aaiindda éé jjovveem — disse a Sra. Qual, em leve tom de reprovação.

A Médium estava sentada e olhando alegre o céu estrelado na sua bola de cristal. Sorria, meneava a cabeça e dava risadinhas. Mas Meg notou que os olhos dela estavam fechando-se. De repente sua cabeça caiu para a frente e ela soltou um ronco suave.

— Coitadinha — disse a Sra. Quequeé. — Nós a cansamos. É um trabalho muito duro para ela.

— Por favor, Sra. Quequeé, e agora, o que vai acontecer? — perguntou Meg. — Por que estamos aqui? O que vamos fazer agora? Onde está o Pai? Quando vamos chegar nele? — Ela juntou as mãos, implorando.

— Uma coisa de cada vez, meu amor! — disse a Sra. Quequeé.

Sra. Quem interveio.

— *As paredes têm ouvidos*, como dizem em português.

— Sim, vamos ali fora — disse a Sra. Quequeé. — Venham, vamos deixar que ela durma.

Mas quando viraram-se para sair, a Médium ergueu a cabeça e lhes deu um sorriso radiante.

— Não iam embora sem se despedir, iam?

— Achamos melhor deixar que dormisse, querida. — A Sra. Quequeé deu batidinhas no ombro da Médium. — Fizemos você trabalhar pesado e sabemos que deve estar bastante cansada.

— Mas eu ia lhes servir ambrosia, ou néctar, pelo menos um chá

Naquele momento, Meg percebeu que estava com fome. *Quanto tempo fazia desde que haviam comido aquele ensopado?*, pensou ela.

Mas a Sra. Quequeé disse:

— Ah, obrigada, querida, mas acho que é melhor irmos.

— *Elas* não precisam comer, entende? — cochichou Charles Wallace a Meg. — Não comida, do jeito que fazemos. Para elas, comer é só uma brincadeira. Assim que nos organizarmos, eu vou lembrá-las que em algum momento precisam nos alimentar.

A Médium sorriu e concordou com a cabeça.

— Mas parece que eu deveria prestar alguma *gentileza* a vocês, depois de mostrar tanta coisa horrenda a essas pobres crianças. Gostariam de ver suas mães antes de ir?

— Podemos ver o Pai? — perguntou Meg, ansiosa.

— Nnãoo — disse a Sra. Qual. — Nóóss vaammoss chheggaar a sseuu paii, Mmegg. Nnãoo seejja immpaacciientte.

— Mas ela *poderia* ver a mãe, não poderia? — falou a Médium, docemente.

— Ah, por que não? — interveio a Sra. Quequeé. — Não vai demorar e não fará mal algum.

— E Calvin? — perguntou Meg. — Ele também pode ver a mãe dele?

Calvin tocou em Meg com um gesto veloz. Se foi por agradecimento ou apreensão, ela não soube dizer.

— Euu acchhoo quue éé umm eerroo — opôs-se a Sra. Qual. — Mmass aggoraa qquue vvoccêê ffalloou, peennsoo quuee tteeráá qque mmosttraarr.

— Odeio quando ela fica zangada — disse a Sra. Quequeé, olhando para a Sra. Qual —, e o maior problema é que parece que ela sempre está certa. Mas não vejo que mal faria, e talvez vocês se sintam melhores. Pode mostrar, minha cara Médium.

A Médium, sorrindo e cantarolando baixinho, passou a bola de cristal de uma das mãos para a outra. Estrelas, cometas e planetas brilharam no céu, a Terra apareceu mais uma vez, a Terra escurecida, mais próxima, cada vez mais próxima, até preencher o globo e eles conseguirem passar das trevas até chegar ao branco suave das nuvens e o contorno suave dos continentes se evidenciarem.

— Primeiro a mãe do Calvin — sussurrou Meg à Médium.

O globo ficou turvo, nebuloso. Então as sombras começaram a ganhar forma, e eles viram uma cozinha bagunçada, com uma pia cheia de louça suja. Em frente à pia, havia uma mulher desgrenhada com cabelos grisalhos caindo pelo rosto. Sua boca estava aberta, e Meg via as gengivas sem dentes. Ela tinha a sensação de que podia ouvir a mulher gritando com duas criancinhas que estavam de pé perto dela. Então a mãe pegou uma colher de madeira comprida da pia e começou a açoitar uma das crianças.

— Minha nossa... — murmurou a Médium, e a imagem começou a se dissolver. — Eu não queria...

— Está tudo bem — disse Calvin, com a voz baixa. — Acho que prefiro que saibam.

Agora, em vez de buscar segurança em Calvin, Meg pegou a mão dele e, sem falar nada, tentou dizer o que sentia apenas pela pressão dos dedos. Se um dia antes alguém tivesse lhe dito que ela, Meg, a menina dos dentes tortos, a míope, a desastrada, ia pegar na mão de um garoto para lhe dar carinho e força, ainda mais um menino popular e importante como Calvin, esta noção estaria além do seu entendimento. Mas, naquele momento, lhe parecia bastante natural querer ajudar e proteger Calvin, do mesmo modo como ela fazia com Charles Wallace.

As sombras voltaram a rodopiar no cristal e, conforme se dissiparam, Meg começou a identificar o laboratório da mãe em casa. A Sra. Murry estava sentada em seu banco alto, anotando coisas numa folha sobre uma prancheta em seu colo. *Está escrevendo para o Pai*, pensou Meg. *Como sempre faz. Toda noite.*

As lágrimas que ela nunca aprendera a controlar adejaram a seus olhos enquanto ela assistia. A Sra. Murry tirou os olhos da carta, quase como se estivesse olhando para as crianças. Então sua cabeça baixou e ela escreveu mais. Estava ali, sentada, encolhida, deixando-se relaxar numa infelicidade que nunca permitia transparecer aos filhos.

E agora, o desejo por lágrimas abandonara Meg. A raiva cálida, protetora, que ela sentira por Calvin quando olhou para a casa dele, ela agora sentia com a mãe.

— Vamos! — berrou ela, em tom áspero. — Vamos fazer *alguma coisa!*

— Ela está sempre certa — murmurou a Sra. Quequeé, olhando para a Sra. Qual. — Às vezes eu queria que ela só falasse "eu avisei" e acabasse por aí.

— Eu só quis ajudar... — choramingou a Médium.

— Oh, Médium, querida, *não* fique se sentindo mal — disse suavemente a Sra. Quequeé. — Veja algo alegre, por favor. Não suporto vê-la angustiada!

— Está tudo bem — garantiu Meg à Médium, com toda a sinceridade. — De verdade, Sra. Médium. E agradecemos muito.

— Tem certeza? — perguntou a Médium, voltando a resplandecer.

— É claro! Você ajudou muito porque me deixou furiosa, e quando eu fico furiosa, não sobra espaço para o medo.

— Bom, então me dê um beijo de despedida, para dar sorte — disse a Médium.

Meg foi até ela e lhe deu um beijo rápido, assim como Charles Wallace. A Médium olhou para Calvin com um sorriso e uma piscadela.

— Também quero um beijo do jovenzinho. Sempre gostei de ruivos. E vai lhe dar boa sorte, amadinho.

Calvin abaixou-se, ruborizado, e lhe deu um beijo desajeitado na bochecha.

A Médium apertou o nariz dele.

— Você tem muita coisa a aprender, meu garoto — disse ela.

— Agora, adeus, cara Médium, e muito obrigada — disse a Sra. Quequeé. — Ouso dizer que nos veremos em um ou dois eons.

— Onde irão, caso eu queira me sintonizar? — perguntou a Médium.

— Camazotz — respondeu a Sra. Quequeé. (Onde ficava e o que era Camazotz? Meg não gostou daquela palavra e do modo como a Sra. Quequeé a tinha pronunciado.) — Mas, por favor, não se aflija por nós. Você sabe que não gosta de observar planetas escuros, e ficamos tristes quando você não está contente.

— Mas tenho que saber o que será das crianças — disse a Médium. — Esse é meu maior problema: eu me apego. Se eu não me apegasse, seria contente o tempo todo. *Ah*, tudo bem, *ahm*, eu dou um jeito de ficar bem alegre e uma sonequinha vai fazer maravilhas por mim. Adeus, pesso... — e suas palavras se perderam no b-b-bz-z de um ronco.

— Vvenhhaam — ordenou a Sra. Qual, e eles a acompanharam das trevas da caverna para o cinza impessoal do planeta da Médium.

— Aggoraa, ccrriaannççass, vvoccêês nnãão pooddemm tteer mmeddoo ddo qquue esstá pparaa acconntteeceerr — alertou a Sra. Qual.

— Guarde a fúria, pequena Meg — sussurrou a Sra. Queeé. — Vai precisar dela agora.

Sem aviso, Meg foi levada mais uma vez ao nada. Desta vez, o nada foi interrompido por uma sensação de algo frio e úmido, algo que ela nunca havia sentido. O frio ficou mais intenso, rodopiou em volta dela, através dela, e vinha recheado com um tipo de treva novo e estranho que era absolutamente tangível, uma coisa que queria devorá-la e digeri-la, como uma enorme e maligna fera de rapina.

Então, as trevas sumiram. Teria sido a sombra, a Coisa Escura? Teriam sido obrigados a atravessá-la para chegar ao Pai?

Agora voltava aquela sensação já familiar nas mãos e pés, a passagem por algo mais duro, e ela estava de pé, sem fôlego mas ilesa, ao lado de Calvin e Charles Wallace.

— Aqui é Camazotz? — perguntou Charles Wallace quando a Sra. Queeé materializou-se na sua frente.

— Sim — respondeu ela. — Vamos apenas esperar enquanto recuperamos o fôlego e dar uma olhada.

Eles estavam no alto de uma colina. Quando Meg olhou em volta, sentiu que poderia estar tranquilamente sobre uma colina na Terra. Havia árvores familiares, que ela conhecia bem de seu lar: bétulas, pinheiros, bordos. E embora estivesse mais quente do que quando eles abandonaram de maneira tão abrupta o pomar de macieiras, havia um leve toque outonal no ar; perto deles via-se várias arvorezinhas de folhas avermelhadas, muito parecidas com sumagre, e uma grande extensão de flores que lembravam vara-de-ouro. Ao olhar colina abaixo, ela viu as chaminés de uma cidade que poderia ser qualquer uma de várias cidadezinhas familiares. Não parecia haver nada de estranho, diferente ou assustador na paisagem.

Mas a Sra. Quequeé veio até ela e envolveu-a com um abraço de conforto.

— Não posso ficar aqui com vocês, meus amados — disse ela. — Os três ficarão por conta própria. Estaremos próximas, observando-os, mas vocês não conseguirão me ver nem pedir nossa ajuda, e não poderemos atendê-los.

— Mas o Pai está aqui? — perguntou Meg, tremendo.

— Sim.

— Mas onde? Quando vamos vê-lo? — Ela fez menção de correr, como se fosse disparar imediatamente para o lado onde seu pai estivesse.

— Isso eu não posso lhes dizer. Terão que aguardar o momento propício.

Charles Wallace olhou fixo para a Sra. Quequeé.

— A senhora tem medo do que pode nos acontecer?

— Um pouco.

— Mas se a senhora não tinha medo de fazer o que fez quando era estrela, por que agora teria medo por nós?

— Mas eu tive medo — respondeu a Sra. Quequeé, com delicadeza. Ela encarou as três crianças, uma de cada vez. — Vocês precisarão de auxílio — disse ela—, mas tudo que posso lhes dar é este pequeno talismã. Calvin, sua maior força é a capacidade de comunicar-se, de tratar com todo tipo de pessoa. Então, em você, reforçarei este dom. Meg: eu lhe dou seus defeitos.

— Meus defeitos! — exclamou Meg.

— Seus defeitos!

— Mas eu sempre quero me livrar dos meus defeitos!

— Sim — disse a Sra. Quequeé. — Contudo, creio que em Camazotz eles serão úteis. Charles Wallace, a você eu só posso conceder a resiliência da infância.

De algum lugar, os óculos da Sra. Quem reluziram e eles ouviram sua voz.

— Calvin — disse ela. — Calvin, uma dica. Uma dica para você. Ouça atentamente:

Dado ele ser de espírito tão dócil
Para cumprir ordens demais mundanas e repugnantes,
Recusando-se aos desmandos dela, confinou-lhe,
Com o auxílio dos ministros mais poderosos,
Em seu inabalável fervor,
Numa fenda de pinheiro; em cuja racha,
Preso, permaneceu atormentado...

— Shakespeare. A *Tempestade*.
— Onde está a Sra. Quem? — perguntou Charles Wallace.
— Onde está a Sra. Qual?
— Agora não podemos atendê-los. — A voz da Sra. Quem veio num sopro que parecia o vento. — *Allwissend bin ich nicht; doch viel ist mir bewisst.* Goethe. *Tudo não sei, mas de muito entendo.* Esta é para você, Charles. Lembre-se de que não sabe de tudo.
— Então a voz dirigiu-se a Meg. — A você deixo meus óculos, minha morceguinha cega. Mas use-os apenas como último recurso. Guarde-os para um momento de risco. — Enquanto ela falava, aconteceu outro tremeluzir de óculos, que então sumiu e levou a voz consigo. Os óculos estavam na mão de Meg. Ela os guardou com cuidado no bolso da frente de seu blazer. Saber que eles estavam ali deixou-a, de algum modo, com menos medo.
— Aaoss ttrêêss, euu ddoou mmiinhha orrddemm — disse a Sra. Qual. — Ddessççaam àà cciddaadee. Fiiqqueem jjunnttoos. Nããoo deeiixxemm qquue oss seppaareemm. Ssejjaamm fforrteess. — Viu-se um piscar que em seguida desapareceu. Meg estremeceu.

A Sra. Quequeé deve ter visto o calafrio de Meg, pois lhe deu um tapinha no ombro. Então virou-se para Calvin.

— Cuide de Meg.

— Eu sei cuidar dela — disse Charles Wallace, um pouco ácido. — Sempre cuidei.

A Sra. Quequeé olhou para Charles Wallace e a voz rangente pareceu amolecer e, ao mesmo tempo, ficar mais intensa.

— Charles Wallace, aqui o perigo é maior para você.

— Por quê?

— Por conta do que você é. Exatamente por ser o que é, você será, de longe, o mais vulnerável. Você *tem* que ficar com Meg e Calvin. E *não* pode sair sozinho. Cuidado com o orgulho e a arrogância, Charles, pois eles podem traí-lo.

Ao tom da voz da Sra. Quequeé, que era tanto de alerta quanto de susto, Meg estremeceu de novo. E Charles Wallace confrontou a Sra. Quequeé do modo como costumava fazer com a mãe, cochichando:

— Agora, acho que sei o que a senhora quis dizer sobre ter medo.

— Só os tolos não têm medo — disse a Sra. Quequeé. — Agora vão! — E onde ela estava agora havia apenas céu, grama e uma pedrinha.

— *Vamos!* — disse Meg, impaciente. — Venham, vamos *descer!* — Ela nem percebia que sua voz tremia como uma folha de álamo. Deu as mãos para Charles Wallace e Calvin, e eles começaram a descer a colina.

• • •

Abaixo deles, a cidade se encontrava disposta em padrões angulosos rígidos. As casas nos subúrbios eram todas idênticas: pequenas caixinhas quadradas pintadas de cinza. Cada uma tinha um pequeno gramado retangular na frente, com uma linha reta de flores sem graça margeando o caminho até a porta. Meg teve a sensação de que, se contasse as flores, encontraria exatamente o mesmo número em todas as casas. Na frente de todas as casas se via crianças brincando. Algumas pulavam corda, algumas batiam bola. Meg teve a tênue sensação de que havia algo de errado nas brincadeiras. Pareciam exatamente com crianças brincando em qualquer conjunto habitacional do seu planeta. Mas havia algo de diferente. Ela olhou para Calvin e viu que ele também estava intrigado.

— Vejam! — disse Charles Wallace, de repente. — Eles pulam e batem bola no mesmo ritmo! Todo mundo faz as coisas na mesma hora.

Era mesmo. A corda de pular batia no asfalto no exato instante da bola. Quando a corda passava por cima da cabeça da criança pulando, a criança com a bola pegava a bola. A corda descia. A bola caía. Repetidamente. Sobe. Desce. Tudo no mesmo ritmo. Tudo idêntico. Tal como as casas. Tal como as ruas. Tal como as flores.

Então, as portas de todas as casas se abriram simultaneamente e delas saíram mulheres como uma fileira de bonequinhas de papel. As estampas dos vestidos eram diferentes, mas todas aparentavam ser a mesma mulher. Cada uma parou no degrau de sua casa. Cada uma bateu palmas. Cada criança com bola pegou sua bola. Cada criança com corda dobrou sua corda. Cada criança virou-se e caminhou para sua casa. As portas fecharam-se com um estalo uníssono.

— Como é que eles fazem isso? — perguntou Meg, curiosa. — Nós não conseguiríamos nem se tentássemos. O que isso quer dizer?

— Vamos voltar. — O tom na voz de Calvin era de urgência.

— Voltar? — perguntou Charles Wallace. — Para onde?

— Não sei. Para qualquer lugar. Para aquela colina. Voltar para a Sra. Quequeé, a Sra. Quem e a Sra. Qual. Não gostei daqui.

— Mas elas não estão lá. Você acha que elas voltariam se nós déssemos meia-volta?

— Não gostei daqui — repetiu Calvin.

— *Qual é!* — A impaciência fez a voz de Meg sair mais fina.

— Vocês *sabem* que não podemos voltar. A Sra. Qual *disse* para entrarmos na cidade.

Ela começou a seguir a rua e os dois meninos foram atrás. As casas, todas idênticas, assim continuavam até onde a vista alcançava.

Então, todos viram a mesma coisa ao mesmo tempo, e pararam para observar. Na frente de uma das casas havia um garotinho com uma bola, batendo-a no chão. Mas ele batia muito mal, sem um ritmo específico, às vezes deixando-a cair e correndo atrás dela com saltos desajeitados, furtivos, às vezes jogando-a no ar e tentando pegar. A porta de sua casa se abriu e dela saiu uma das mães. Ela olhava loucamente para os dois lados da rua, viu as crianças e levou a mão à boca como se quisesse abafar um grito. Agarrou o garotinho e correu com ele para dentro de casa. A bola caiu dos dedos da criança e rolou para a rua.

Charles Wallace correu até a bola e pegou-a, levantando-a para Meg e Calvin verem. Era uma bola de borracha marrom perfeitamente comum.

— Vamos devolver a bola para ele e ver o que acontece — sugeriu Charles Wallace.

Meg o puxou.

— A Sra. Quequeé disse para nós entrarmos na cidade.

— Bom, nós *estamos* na cidade, não estamos? Na periferia, em todo caso. Quero saber mais. Tenho o pressentimento de que vai nos ajudar mais tarde. Podem seguir se não quiserem ir comigo.

— Não — falou Calvin, firme. — Vamos ficar juntos. A Sra. Quequeé disse que não poderíamos deixar que nos separassem. Mas estou com vocês nessa. Vamos bater na porta e ver o que acontece.

Eles percorreram a trilha que levava à porta da casa. Meg estava relutante, ansiosa para chegar na cidade.

— Vamos rápido — implorou ela—, *por favor!* Vocês não querem encontrar o Pai?

— Quero — respondeu Charles Wallace —, mas não às cegas. Como vamos ajudá-lo se não sabemos o que estamos enfrentando? E é evidente que fomos trazidos até aqui para ajudá-lo, não só para encontrá-lo. — Ele subiu os degraus com pressa e bateu na porta. Esperaram. Nada aconteceu. Então Charles Wallace viu uma campainha e a apertou. Eles ouviram a campainha tocando dentro da casa e o som ecoou pela rua. Depois de um instante, a figura da mãe abriu a porta. Por toda a rua, portas se abriram, mas só frestas. Diversos olhos espiaram as três crianças e a mulher de feição temerosa na porta daquela casa.

— O que vocês querem? — perguntou ela. — Ainda não é hora do jornal; a hora do leite já passou; já veio o Arbusteiro este mês; e fiz minhas Doações do Decoro. Todos meus documentos estão em ordem.

— Acho que seu garotinho deixou a bola cair — disse Charles Wallace, entregando o brinquedo.

A mulher empurrou a bola.

— Ah, não! As crianças do nosso setor *nunca* deixam a bola cair! Todas são perfeitamente treinadas. Faz três anos que não temos uma Aberrante.

As cabeças de toda a quadra fizeram meneios de concordância.

Charles Wallace chegou mais perto da mulher e olhou para dentro da casa. Atrás dela, nas sombras, ele viu o garotinho, que devia ter mais ou menos a mesma idade que a sua.

— Vocês não podem entrar — disse a mulher. — Não me mostraram nenhum documento. Se não tiverem documentos, não sou obrigada a recebê-los.

Charles Wallace estendeu a bola para o garotinho ver, atrás da mulher. Rápido como um raio, o garoto deu um salto e agarrou a bola da mão do outro, depois zarpou de volta às sombras. A mulher ficou muito pálida. Abriu a boca como se fosse dizer algo e então bateu a porta na cara dos três. Portas bateram por toda a rua.

— Do que elas têm medo? — perguntou Charles Wallace. — Qual é o problema?

— Você não *sabe?* — perguntou Meg. — Você não sabe o que é isso, Charles?

— Ainda não — disse Charles Wallace. — Não tenho nem a mais vaga ideia. E estou me esforçando. Mas eu não cheguei a conclusão alguma. Nem uma luzinha. Vamos. — Ele desceu os degraus.

Depois de várias quadras, as casas começaram a dar lugar a prédios; eram prédios de apartamento, ou pelo menos Meg se convenceu de que eram isso. Eram bastante altos, retangulares, absolutamente sem ornamentos, cada janela, cada entrada exatamente igual à outra. Então, vindo na direção deles pela rua, havia um garoto mais ou menos da idade de Calvin que pilotava uma máquina que parecia uma mistura de bicicleta e motocicleta. Tinha a finura e leveza da bicicleta, mas, quando se girava os pedais, parecia que elas geravam um fonte de energia invisível, de forma que o garoto podia pedalar bem devagar e andar pela rua com velocidade. Ao chegar em cada entrada, ele enfiava a mão numa sacola que usava pendurada no ombro, puxava um rolo de papel e largava na entrada. Podiam ser Dennys ou Sandy ou qualquer um das centenas de garotos com sua rota de entrega de jornal em qualquer das centenas de cidades na Terra, e, mesmo assim, tal como as crianças batendo bola e pulando corda, havia algo de errado. O ritmo do gesto nunca variava. O jornal voava de modo idêntico, fazendo o mesmo arco, até cair em cada porta, aterrissando no ponto idêntico. Era impossível uma pessoa arremessar com tal consistência perfeita.

Calvin deu um assobio.

— Será que eles jogam beisebol por aqui?

Quando o menino viu as crianças, ele diminuiu a velocidade da máquina e parou, a mão travada como se ele estivesse prestes a mergulhá-la na sacola de papel.

— O que estão fazendo na rua, crianças? — ele quis saber. — Vocês sabem que só entregadores podem sair nesse horário.

— Não, não sabemos — disse Charles Wallace. — Somos novos por aqui. Que tal nos contar alguma coisa sobre este lugar?

— Quer dizer que já apresentaram seus documentos de admissão e tudo mais? — perguntou o menino. — Se estão aqui, devem ter — ele mesmo respondeu. — E o que fazem aqui, se não sabem nada sobre nós?

— Você que nos diga — disse Charles Wallace.

— São inspetores? — perguntou o menino, um pouco nervoso. — Todos sabem que nossa cidade tem o melhor Centro da Inteligência Central do planeta. Nossos níveis de produção são os mais elevados. Nossas fábricas nunca fecham; nossas máquinas nunca param. Além disso, temos cinco poetas, um músico, três artistas e seis escultores, todos perfeitamente orientados.

— O que você está citando? — perguntou Charles Wallace.

— O Manual, oras — respondeu o garoto. — Somos a cidade mais orientada do planeta. Faz séculos que não temos problema algum. Toda a Camazotz conhece nosso desempenho. É por isso que somos a capital de Camazotz. Por isso que a Inteligência Central CENTRAL fica aqui. Por isso que AQUELE faz daqui seu lar. — Algo no jeito como ele disse "AQUELE" fez um calafrio percorrer a espinha de Meg.

Mas Charles Wallace foi mais rápido em perguntar:

— Onde fica esse seu Centro da Inteligência Central?

— A Central CENTRAL — corrigiu o menino. — Sigam adiante e vão ver. Vocês são *mesmo* estrangeiros! O que estão fazendo aqui?

— Você deveria fazer perguntas? — perguntou Charles Wallace, em tom de ameaça.

O menino ficou pálido, tal como a mulher de antes.

— Peço encarecidas desculpas. Tenho que seguir com minhas entregas agora ou terei que justificar meu cronograma ao explicador. — E disparou pela rua em cima de sua máquina.

Charles Wallace ficou observando o garoto ir embora.

— O que foi aquilo? — perguntou ele a Meg e Calvin. — Ele falava de um jeito estranho. Parecia que... ora, parecia que não era ele quem falava. Vocês me entendem?

Calvin fez que sim, pensativo.

— Estranho mesmo. Estranho e peculiar. Não só o jeito como ele falava. Essa coisa toda tem um cheiro estranho.

— *Vamos!* — chamou Meg. Quantas vezes ela tivera que insistir com os dois? — Vamos encontrar o Pai. Ele vai explicar tudo para a gente.

Seguiram caminhando. Depois de várias quadras, começaram a ver outras pessoas. Adultos, nenhuma criança, subindo, descendo e atravessando ruas. As pessoas ignoraram as crianças por completo, parecendo totalmente concentradas em seus próprios afazeres. Algumas entravam nos prédios. A maioria ia na mesma direção das crianças. Quando essas pessoas vinham das ruas laterais para a rua principal, eles dobravam as esquinas com um passo estranho, automatizado, como se estivessem perdidas nos próprios problemas e o caminho lhes fosse tão familiar que não tinham que prestar atenção quanto a onde deviam ir.

Passado um tempo, os prédios de apartamentos deram lugar ao que deveriam ser prédios comerciais, grandes estruturas austeras com entradas enormes. Homens e mulheres de maletas entravam e saíam.

Charles Wallace dirigiu-se a uma das mulheres e falou, educadamente:

— Com licença. Poderia me dizer o que... — Mas ela mal olhou para ele e seguiu seu rumo.

— Olhem! — Meg apontou. À frente deles, atravessando uma praça, estava o maior prédio que eles já tinham visto. Maior que o edifício Empire State e quase tão largo quanto alto.

— Deve ser ali a Inteligência Central CENTRAL, ou seja lá como se chama. Vamos — disse Charles Wallace.

— Mas se o Pai está tendo algum tipo de problema neste planeta, não é exatamente ali que *não* deveríamos entrar? — opôs-se Meg.

— Bom, qual a sua proposta para conseguirmos encontrá-lo? — quis saber Charles Wallace.

— Com certeza não era *ali* que eu perguntaria!

— Eu não disse nada quanto a perguntar. Mas não teremos a menor ideia de onde ou como começar a procurar por ele se não descobrirmos mais sobre este lugar. Tenho a impressão de que devemos começar por aqui. Se tiver uma ideia melhor, Meg, ora, é só falar.

— Ah, pode descer do seu pedestal — disse Meg, zangada. — Vamos nessa sua Inteligência Central CENTRAL e acabar logo com isso.

— Acho que precisamos ter passaportes ou coisa do tipo — comentou Calvin. — É bem diferente de ir dos Estados Unidos para a Europa. E aquele menino e aquela mulher pareceram dar muita importância para ter as coisas em ordem. Nós não temos documento nenhum em ordem nenhuma.

— Se precisássemos de passaportes ou de documentos, a Sra. Quequeé teria nos dito — falou Charles Wallace.

Calvin colocou as mãos na cintura e olhou para Charles Wallace.

— Olha aqui, meu camarada. Eu amo aquelas três senhoras tanto quando você, mas não sei se elas sabem de *tudo*.

— Elas sabem bem mais que nós.

— Concordo. Mas você sabe que a Sra. Quequeé falou que era uma estrela. Eu não acho que ser uma estrela lhe daria muita prática em entender as pessoas. Quando ela tentou ser uma pessoa, ela chegou bem perto de se encrencar. Nunca houve ninguém na terra ou no mar como a Sra. Quequeé naquele momento em que ela se levantou.

— Ela estava apenas se divertindo — disse Charles. — Se ela quisesse se parecer com você ou com Meg, sem dúvida conseguiria.

Calvin fez não com a cabeça.

— Não tenho essa certeza. E essa gente parece ser *gente*, se é que você me entende. Não são como nós, isso eu lhe garanto, tem algo muito fora do padrão nelas. Mas elas são muito mais parecidas com gente comum do que a gente de Uriel.

— Você acha que são robôs? — sugeriu Meg.

Charles Wallace fez que não com a cabeça.

— Não. Aquele menino que deixou a bola cair não era nenhum robô. E não acho que os outros sejam. Deixem eu escutar um minuto.

Eles ficaram muito quietos, lado a lado, à sombra de um dos grandes prédios comerciais. Seis imensas portas ficavam abrindo e fechando, abrindo e fechando, enquanto as pessoas entravam e saíam, entravam e saíam, sempre olhando para a frente, sempre para a frente, sem prestar atenção alguma às crianças. Charles estava com seu olhar atento, de quem estava analisando. — Não são robôs — falou ele de repente, com certeza absoluta. — Não sei exatamente *o que* são, mas não são robôs. Estou sentindo mentes. Não consigo acessar essas mentes, mas sinto-as pulsando. Deixem eu tentar só mais um minuto.

Os três ficaram em silêncio total. As portas continuaram a abrir e fechar, abrir e fechar. As pessoas rígidas saíam e entravam, saíam e entravam, sempre com pressa, a passos espasmódicos, tal como gente do cinema mudo. Então, de uma hora para outra, o fluxo diminuiu. Havia poucas pessoas e estas se mexiam mais rápido, como se o filme tivesse sido acelerado. Um homem de rosto branco e terno escuro olhou na cara das crianças e disse:

— Oh, céus, vou me atrasar — e entrou bem rápido no prédio.

— Parece o coelho branco — disse Meg, dando risadinhas nervosas.

— Estou com medo — disse Charles. — Não consigo acessá-los. Estou totalmente bloqueado.

— Temos que encontrar o Pai... — retomou Meg.

— Meg... — Os olhos de Charles Wallace estavam arregalados e assustados. — Não sei nem se eu vou reconhecer o Pai. Faz tanto tempo, eu era só um bebê

O apoio de Meg veio rápido.

— Você vai reconhecer, sim! Claro que vai! Tal como você sempre me reconhece sem nem olhar, pois estou sempre ali por você, você sempre pode me...

— Sim. — Charles deu um pequeno soco na palma aberta, em um gesto de grande decisão. — Vamos à Inteligência Central CENTRAL.

Calvin estendeu as mãos e segurou tanto Charles quanto Meg pelos braços.

— Lembram que, quando nos conhecemos, você me perguntou por que eu estava lá? E eu falei que era porque eu tinha uma compulsão, uma sensação de que tinha que estar naquele lugar naquele instante?

— Lembro, claro.

— Bom, estou com outra sensação. Não é a mesma, é diferente. É a sensação de que, se entrarmos naquele prédio, vamos correr muito perigo.

7

O Homem dos Olhos Vermelhos

— **Nós sabíamos que íamos** correr perigo — disse Charles Wallace. — A Sra. Quequeé nos avisou.

— Foi, e ela disse que ia ser pior para você do que para Meg e eu. E que você precisa ter cuidado. Fique aqui com Meg, camarada anômalo. Deixe eu entrar, dar uma espiada e depois conto para vocês.

— Não — falou Charles Wallace, com firmeza. — Ela disse para ficarmos juntos. Ela disse para não sairmos sozinhos por aí.

— Ela disse para *você* não sair sozinho por aí. Eu sou o mais velho e deveria entrar primeiro.

— Não. — A voz de Meg foi ríspida. — Charles tem razão, Cal. Temos que ficar juntos. Imagine se você não voltar e tivermos que ir atrás de você? Hã-hã. Se não se importar, vamos dar as mãos.

De mãos dadas, eles atravessaram a praça. O imenso prédio da Inteligência Central CENTRAL tinha apenas uma porta, mas uma porta enorme, com pelo menos dois andares de altura e mais larga que uma sala, feita de um material opaco que lembrava bronze.

— É só bater? — disse Meg, dando uma risadinha.

Calvin ficou analisando a porta.

— Não tem maçaneta, nem tranca, nem nada. Talvez tenha outro jeito de entrarmos.

— Vamos tentar bater, de qualquer maneira — disse Charles. Ele ergueu a mão, mas, antes de tocar a superfície, a porta deslizou para o alto e para os lados, dividindo-se em três seções que um instante antes eram totalmente inaparentes. As crianças, assustadas, olharam para um grande vestíbulo de mármore esverdeado e opaco. Haviam bancos de mármore que se alinhavam com três das paredes dali. Pessoas sentadas como estátuas. O verde do mármore refletia nos rostos e deixavam-nas com caras de irritadas. Elas viraram a cabeça quando a porta se abriu, viram as crianças e desviaram o olhar de novo.

— Venham — disse Charles. Ainda de mãos dadas, eles entraram. Ao cruzar a soleira, a porta se fechou em silêncio atrás deles. Meg olhou para Calvin e Charles. Tal como as pessoas à espera, eles ficaram com um tom de verde-enjoo.

As crianças foram até a parede vazia dos fundos. Ela parecia sem substância, como se fosse possível atravessá-la. Charles estendeu a mão.

— É fria e dura como gelo.

Calvin tocou-a também.

— Ugh.

Charles segurava a mão esquerda de Meg, e Calvin, a direita. Ela não tinha interesse algum em soltá-los para tocar na parede.

— Vamos perguntar alguma coisa para alguém. — Charles os conduziu até um dos bancos. — Hã, pode nos dizer qual é o procedimento aqui? — questionou ele a um dos homens. Todos usavam ternos genéricos e, embora suas feições fossem tão diferentes quanto os rostos dos homens da Terra, eles também traziam alguma semelhança.

Parece a semelhança entre as pessoas no metrô, pensou Meg. *Mas no metrô, vez por outra se vê alguém diferente. Aqui, não.*

O homem olhou para as crianças com desconfiança.

— O procedimento para quê?

— Como descobrimos quem é o responsável? — perguntou Charles.

— Apresente seus documentos à máquina A. Já deveria saber disso — respondeu o homem, com expressão séria.

— Onde fica a máquina A? — perguntou Calvin.

O homem apontou para a parede em que não havia nada.

— Mas não há uma porta nem nada — disse Calvin. — Como é que a gente vai entrar?

— Você deposita os documentos S na entrada B — disse o homem. — Por que você está me fazendo essas perguntas tão imbecis? Acham que eu tenho respostas para tudo? É bom que não estejam de brincadeira comigo, se não terão que passar mais uma vez pela máquina de Processamento. E vocês *não vão* querer fazer isso.

— Não somos daqui — disse Calvin. — Por isso que não sabemos das coisas. O senhor poderia, por favor, dizer-nos quem é e o que faz?

— Sou responsável por uma máquina número um de soletrar no nível de segunda série.

— Mas o que está fazendo aqui no momento? — perguntou Charles Wallace.

— Vim informar que uma das minhas letras está travando. Até que ela seja devidamente lubrificada por um lubrificador Nível F, corremos o risco de mentes travadas.

— Mentes gravatas? — balbuciou Charles Wallace. Calvin olhou para Charles e fez um não de alerta. Meg fez uma leve pressão, compreensiva, na mão do garotinho. Ela tinha certeza de que Charles Wallace não quisera ser grosseiro nem engraçadinho; era o jeito dele de disfarçar o medo.

O homem fez uma cara ríspida para Charles.

— Acho que terei que denunciá-los. Gosto de crianças devido à natureza do meu trabalho, e não gosto que elas se encrenquem. Mas, para não correr o risco de ser reprocessado, terei que denunciá-los.

— Talvez seja uma boa ideia — disse Charles. — Você nos denuncia no quê?

— A *quem* eu os denuncio.

— Bom, a quem, então. Ainda não cheguei na segunda série.

Queria que ele não se portasse tão seguro de si, pensou Meg, olhando com nervosismo para Charles e segurando sua mão com uma força cada vez maior até ele mexer os dedos em protesto. Era isso que a Sra. Quequeé havia dito para ele cuidar: não ser tão orgulhoso. *Não, por favor não faça isso*, pensou ela, intensamente, de Charles Wallace. Meg se perguntou se Calvin percebia que muita dessa arrogância era bravata.

O homem levantou-se e saiu a passos mecânicos, como se tivesse ficado sentado por muito tempo.

— Espero que ele não seja muito rude com vocês — murmurou enquanto conduzia as crianças à quarta parede vazia. — Mas já fui reprocessado uma vez e foi mais do que suficiente. Não quero que me mandem ÀQUELE. Nunca fui mandado ÀQUELE e não posso me arriscar que aconteça.

AQUELE, de novo. O que será AQUELE?

O homem tirou do bolso uma pasta cheia de papéis, de cores variadas. Remexeu-os com cuidado e finalmente puxou um.

— Ando tendo que fazer muitos relatórios. Acho que vou ter que pedir mais cartões A-21. — Ele tirou o cartão e colocou-o contra a parede. O cartão entrou no mármore e, como se fosse sugado, desapareceu. — Vocês podem ficar alguns dias em detenção — disse o homem —, mas tenho certeza de que eles não vão ser *tão* durões com vocês porque são jovens. Relaxem, não resistam e tudo será mais fácil. — Ele voltou a seu assento, deixando as crianças ali paradas, olhando para a parede vazia.

De repente, não havia mais parede. Eles estavam diante de uma sala enorme forrada de máquinas. Lembravam as grandes máquinas computacionais que Meg havia visto em seus livros de ciências e nas quais ela sabia que seu pai trabalhava às vezes. Algumas pareciam não estar em uso; em outras, as luzes piscavam. Em uma das máquinas, uma longa fita era devorada; em outra, marcava-se uma série de pontos e traços. Vários atendentes de manto branco andavam por ali, cuidando das máquinas. Se percebiam as crianças, não davam sinal.

Calvin resmungou alguma coisa.

— O quê? — perguntou Meg.

— Não há nada a temer a não ser o próprio medo — disse Calvin. — É uma citação. Como as da Sra. Quem. Meg, eu estou muito assustado.

— Eu também. — Meg apertou a mão dele. — Venha.

Eles entraram na sala das máquinas. Apesar da extensão gigantesca, ela ainda era mais funda que comprida. A perspectiva fazia as longas fileiras de máquinas quase se encontrar. As crianças caminharam pelo centro da sala, mantendo a maior distância possível das máquinas.

— Mas não acho que elas sejam radioativas nem nada — disse Charles Wallace —, ou que elas vão esticar um braço, nos pegar e mastigar.

Depois de caminharem pelo que pareceram quilômetros, eles viram que a enorme sala tinha um fim, e que no fim havia algo.

Charles Wallace falou de supetão, e sua voz saiu em pânico:

— Não me soltem! Segurem firme! Ele quer me pegar!

— Quem? — grunhiu Meg.

— Não sei. Mas ele está tentando entrar em mim! Estou sentindo!

— Vamos voltar! — Calvin começou a puxar.

— Não — disse Charles Wallace. — Eu tenho que continuar. Temos que tomar decisões e não conseguiremos fazer isso se elas se basearem no medo. — Sua voz parecia antiga, estranha, remota. Meg, agarrando forte sua mãozinha, sentia que ela suava.

Ao chegarem na extremidade da sala, seus passos diminuíram. Havia uma plataforma diante deles. Na plataforma, havia uma poltrona, e na poltrona havia um homem.

O que havia naquele homem que parecia conter toda a frieza e trevas que eles sentiram ao imergir na Coisa Escura, a caminho deste planeta?

— Estava esperando por vocês, meus caros — disse o homem. Sua voz era suave e gentil, não o tom frio e assustador que Meg esperava. Ela levou um instante para perceber que, embora a voz viesse de um homem, ele não havia aberto a boca nem mexido os lábios, que nenhuma palavra havia sido proferida para chegar a seus ouvidos, que ele havia, de algum modo, comunicado-se diretamente com os cérebros dos três.

— Mas como é possível que sejam três? — perguntou o homem.

Charles Wallace falou com audácia, mas Meg sentiu que ele tremia.

— Ah, Calvin veio de carona.

— Ah, veio, não veio? — Por um instante eles sentiram algo mais afiado na voz que falava dentro de suas mentes. Então ela relaxou e ficou carinhosa de novo. — Espero que esteja sendo agradável, até o momento.

— Muito instrutivo — disse Charles Wallace.

— Deixe que Calvin fale por si — ordenou o homem.

Calvin grunhiu, os lábios firmes, o corpo rígido.

— Não tenho nada a dizer.

Meg olhava para o homem com fascínio e terror. Os olhos dele tinham um forte brilho avermelhado. Acima de sua cabeça, havia uma luz que brilhava tal como os olhos, pulsando, palpitando, em ritmo constante.

Charles Wallace cerrou as pálpebras com força.

— Fechem os olhos! — disse ele a Meg e Calvin. — Não olhem para a luz. Não olhem nos olhos dele! Ele vai hipnotizá-los.

— Esperto você, não? Focar os olhos, evidentemente, ajudaria — prosseguiu a voz suave —, mas há outras maneiras, meu rapazinho. Ah, sim, há outras maneiras.

— Se tentar isso comigo, vai levar um chute! — disse Charles Wallace. Era a primeira vez que Meg ouvia Charles Wallace sugerir violência.

— Ah, eu vou, meu rapazinho? — O pensamento soou tolerante, divertido, mas quatro homens de jaleco preto apareceram e cercaram as crianças.

— Agora, meus caros — prosseguiram as palavras —, é evidente que não irei recorrer à violência, mas penso que talvez fosse poupar-lhes sofrimento se eu mostrasse de uma vez que não lhes fará bem algum tentar opor-se a mim. Logo perceberão que não há necessidade de lutar contra mim. Não só não há necessidade, mas vocês não terão a mínima vontade de lutar. Afinal, por que iriam querer lutar com alguém que está aqui apenas para poupá-los de dor e de problemas? Por vocês, e pelo restante do povo feliz e prestativo deste planeta, *eu*, com minha própria força, estou disposto a assumir toda a dor e a responsabilidade de pensar e decidir.

— Obrigado, mas nós tomaremos nossas próprias decisões — disse Charles Wallace.

— Mas *claro*. E nossas decisões serão uma só, suas e minha. Não veem como é melhor, como será mais *fácil* para vocês? Permitam-me mostrar. Façamos a tabuada juntos.

— Não — disse Charles Wallace.

— Uma vez um, um. Uma vez dois, dois. Uma vez três, três.

— Batatinha quando nasce! — gritou Charles Wallace. — Se esparrama pelo chão!

— Uma vez quatro, quatro. Uma vez cinco, cinco. Uma vez seis, seis.

— Menininha quando dorme põe a mão no coração!

— Uma vez sete, sete. Uma vez oito, oito. Uma vez nove, nove.

— Hoje é domingo, pede cachimbo, o cachimbo é de ouro...

— Uma vez dez, dez. Uma vez onze, onze. Uma vez doze, doze.

Os algarismos espancavam o cérebro de Meg devido à insistência. Pareciam entrar no seu crânio com a força do puro tédio.

— Duas vezes um, dois. Duas vezes dois, quatro. Duas vezes três, seis.

A voz de Calvin saiu num grito de raiva.

— Oitenta e sete anos atrás, nossos pais deram origem, neste continente, a uma nova nação, concebida na liberdade e consagrada ao princípio de que todos os homens nascem iguais.

— Duas vezes quatro, oito. Duas vezes cinco, dez. Duas vezes seis, doze.

— Pai! — gritou Meg. — Pai! — O grito, semi-involuntário, fez sua mente deixar as trevas.

As palavras da tabuada pareceram romper-se em riso.

— Magnífico! Magnífico! Passaram na prova preliminar com notas estupendas.

— Não achou que fôssemos tão simplórios a ponto de cair nesse velho truque, achou? — perguntou Charles Wallace.

— Ah, esperava que não. Sinceramente, esperava que não. Mas, afinal, vocês são muito jovens e impressionáveis. E quanto mais jovem, melhor, meu rapazinho. Quanto mais jovem, melhor.

Meg olhou para os olhos ardentes, para a luz que pulsava acima deles, e depois para o lado. Ela tentou olhar para a boca, para os lábios finos, quase sem cor — o que era uma possibilidade mais aceitável, mesmo que ela tivesse que olhar obliquamente, de tal modo que ela não tinha certeza de como era o rosto, se jovem ou velho, cruel ou gentil, humano ou alienígena.

— Se nos permite — disse ela, tentando soar calma e corajosa. — Só viemos porque achamos que nosso pai está aqui. Pode nos dizer onde ele está?

— Ah, seu pai! — Parece que houve uma grande gargalhada de contentamento. — Ah, sim, seu pai. Poder eu *poderia*, minha jovem, mas será que *vou*?

— Vai nos dizer, então?

— Disto dependem muitas coisas. Por que desejam seu pai?

— Você nunca teve pai? — perguntou Meg. — Ninguém quer o pai por um *motivo*. Queremos nosso pai porque é nosso *pai*.

— Ah, mas ele não tem sido muito *pai*, não é? Abandonou a esposa e quatro crianças pequenas, saindo à toa em aventuras loucas por conta própria.

— Ele estava trabalhando para o governo. Não fosse por isso, ele não iria nos deixar. E queremos vê-lo, por favor. Agora!

— Ora, mas que mocinha impaciente! Paciência, minha jovem, paciência.

Meg não explicou ao homem na poltrona que paciência não era uma das suas virtudes.

— E, a propósito, minhas crianças — prosseguiu ele, com delicadeza —, comigo não é necessário vocalizar verbalmente, percebem? Eu os entendo tanto quanto vocês me entendem.

Charles Wallace levou as mãos à cintura, em uma pose desafiadora.

— A palavra falada é um dos triunfos do homem — proclamou —, e pretendo continuar usando-a, particularmente com aqueles em quem não confio. — Mas sua voz saiu trêmula. Charles Wallace, que mesmo bebê raramente havia chorado, estava perto das lágrimas.

— E você não confia em mim?

— Que motivo você nos deu para confiar em você?

— Que motivos lhes dei para *não* confiar? — Os lábios finos curvaram-se levemente.

De repente, Charles Wallace deu um impulso e atingiu o homem com toda a força que tinha, que era muita, pois tivera bom preparo com os gêmeos.

— Charles! — gritou Meg.

Os homens de jalecos pretos foram com delicadeza, mas também com agilidade, na direção de Charles. O homem na poltrona ergueu casualmente um dedo, e os homens recuaram.

— Espere... — sussurrou Calvin e, juntos, ele e Meg pularam para segurar Charles Wallace, puxando-o da plataforma.

O homem fez uma cara amarrada, e a sua voz em pensamento pareceu um pouco resfolegante, como se o soco de Charles Wallace tivesse tido sucesso em lhe tirar o fôlego.

— Poderia perguntar por que fez isto?

— Porque você não é você — disse Charles Wallace. — Não sei bem o que você é, mas você... — ele apontou para o homem na poltrona. — Não é você que está falando conosco. Desculpe se eu o machuquei. Não achei que fosse de verdade. Achei que pudesse ser um robô, pois não consigo sentir nada vindo direto da sua presença. Não sei bem de onde vem, mas é algo que *atravessa* você. Não é você.

— Muito esperto, não é? — questionou o pensamento, e Meg teve a sensação desconfortável de que havia captado um rosnado.

— Não é que eu seja esperto — disse Charles Wallace, e mais uma vez Meg sentiu a palma da mão dele suando na sua.

— Pois tente descobrir quem sou — sondou o pensamento.

— É o que venho tentando — disse Charles Wallace, uma voz alta e perturbada.

— Olhe nos meus olhos. Olhe fundo nos meus olhos e eu lhe direi.

Charles Wallace olhou rápido para Meg e Calvin e disse, como se fosse para si:

— Preciso fazer isso. — Então focou seus olhos azul-claros nos olhos vermelhos do homem na poltrona. Meg não olhou para o homem, mas sim para o seu irmão. Passado um instante, parecia que seus olhos haviam perdido o foco. As pupilas ficaram cada vez menores, como se ele estivesse diante de uma luz intensa, até que, aparentemente, contraíram-se por completo e seus olhos viraram nada mais que um azul opaco. Ele soltou as mãos de Meg e Calvin, e começou a caminhar devagar rumo ao homem na poltrona.

— Não! — gritou Meg. — Não!

Mas Charles Wallace continuou na sua lenta caminhada em frente, e ela soube que ele não a havia escutado.

— Não! — gritou ela de novo e correu atrás dele. Com uma investida voadora desajeitada, ela aterrissou nele. Ela era tão maior que Charles Wallace que ele caiu esparramado, batendo a cabeça com um baque surdo no chão de mármore. Ela ajoelhou-se ao lado dele, aos soluços. Depois de um instante ali deitado, como se tivesse sido derrubado por um soco, ele abriu os olhos, sacudiu a cabeça e sentou-se. Aos poucos, as pupilas de seus olhos dilataram-se até voltar ao normal e o sangue retornar a suas bochechas pálidas.

O homem na poltrona falou diretamente à cabeça de Meg. Agora as palavras vinham em tom de ameaça.

— Não estou contente — disse ele. — Estou prestes a perder a paciência com vocês três. E isto, minha jovem, não seria bom para seu pai. Se têm a mínima intenção de revê-lo, é melhor cooperarem.

Meg reagiu como costumava reagir com o Sr. Jenkins, de seu colégio. Ela fez cara feia para o chão, sua fúria contida.

— Ajudaria se você nos desse algo para comer — protestou ela. — Estamos famintos. Se vai ser idiota conosco, é bom que encha nossas barrigas.

Mais uma vez, os pensamentos que chegavam nela caíram na gargalhada.

— Ora, mas ela não é engraçadinha? Sorte sua que você me diverte, minha cara, ou eu não seria tão tranquilo. Os meninos não me entretêm tanto. Ah, pois bem. Então me diga. Se eu os alimentar, vão deixar de me atrapalhar?

— Não — respondeu Meg.

— É claro que a inanição faz maravilhas — disse o homem a ela. — Odeio usar métodos tão primitivos com vocês, mas é evidente que percebem que fui forçado a usá-los.

— Eu não comeria a comida velha de vocês, mesmo. — Meg ainda estava atacada e irritada, como se na sala do Sr. Jenkins. — Eu não confiaria.

— É claro que nossa comida, por ser sintética, não é superior às misturas de feijões e bacon e tal. Mas lhes garanto que é muito mais nutritiva e, embora não tenha gosto, um leve condicionamento será o suficiente para lhes dar a ilusão de que estão comendo um peru assado.

— Se eu comesse agora, eu ia vomitar mesmo — disse Meg.

Ainda segurando as mãos de Meg e Calvin, Charles Wallace deu um passo à frente.

— Ok, e agora? — perguntou ele ao homem na poltrona. — Já chega destas preliminares. Vamos em frente.

— Era exatamente o que estávamos fazendo — disse o homem. — Até que sua irmã interferiu e praticamente provocou-lhe uma concussão. Tentamos mais uma vez?

— Não! — gritou Meg. — Não, Charles. *Por favor*. Deixe que eu faço isso. Ou Calvin.

— Mas apenas o garotinho tem o sistema neurológico com a devida complexidade. Se tentassem conduzir os neurônios necessários, seus cérebros explodiriam.

— E o de Charles não?

— Creio que não.

— Mas existe uma possibilidade?

— Sempre há uma possibilidade.

— Então ele não vai.

— Creio que deveriam ceder-lhe o direito de tomar as próprias decisões.

Mas Meg, com a obstinação que tantas vezes lhe rendera problemas, persistiu.

— Você quer dizer que Calvin e eu não temos como saber quem você é de verdade?

— Oh, não, não foi o que eu disse. De qualquer modo, não há como saberem e tampouco me é importante que saibam. Ah, já está pronto! — De algum ponto nas sombras apareceram quatro homens de jalecos pretos carregando uma mesa. Ela era coberta com uma toalha branca, tal como as mesas usadas para levar refeições no quarto em hotéis, e tinha uma caixa de metal contendo algo com um cheiro delicioso, algo que cheirava a peru.

Tem algo de fajuto nessa armação toda, pensou Meg. *Há algo de podre no reino de Camazotz.*

Mais uma vez os pensamentos pareceram cair na gargalhada.

— Claro que não há cheiro *de verdade*, mas não é tão bom quanto se houvesse?

— Não sinto cheiro de nada — disse Charles Wallace.

— Eu sei, meu pequeno. Pense no quanto está perdendo. Para você, tudo isso terá gosto de areia. Mas sugiro que force-se a engolir. Prefiro que suas decisões não venham da fraqueza de um estômago vazio.

A mesa foi armada na frente deles, e o homem de jaleco preto empilhou os pratos com peru, purê de batatas com molho de carne, ervilhas com bolhas amarelas de manteiga se derretendo, *cranberries*, batata doce com cobertura de marshmallows tostados e melequentos, azeitonas, aipo, rabanetes...

Meg sentiu seu estômago roncar alto. A saliva chegou à sua boca.

— Ah, Jizuis... — murmurou Calvin.

Cadeiras surgiram. Os quatro homens que haviam trazido o banquete voltaram às sombras.

Charles Wallace livrou-se das mãos de Meg e Calvin e enfiou-se numa das cadeiras.

— Venham — disse ele. — Se estiver envenenada, está. Mas acho que não.

Calvin sentou-se. Meg continuou de pé, sem se decidir.

Calvin deu uma mordida. Mastigou. Engoliu. Olhou para Meg.

— Se não for real, é a melhor imitação que existe.

Charles Wallace deu uma mordida, fez cara feia e cuspiu.

— É injusto! — gritou com o homem.

Risadas, mais uma vez.

— Vamos, meu amiguinho. Coma.

Meg deu um suspiro e sentou-se.

— Acho que não devíamos comer isso, mas, se você vai comer, é bom eu comer também. — Ela deu uma garfada. — O gosto é bom. Prove um pouco do meu, Charles. — Ela lhe deu uma garfada de peru.

Charles Wallace engoliu, fez outra cara feia, mas conseguiu engolir.

— Ainda tem gosto de areia — disse ele. E olhou para o homem. — Por quê?

— Você sabe perfeitamente por quê. Você fechou sua mente por completo para mim. Os outros dois não conseguem. Eu consigo entrar pelas frestas. Não tenho acesso total, mas o suficiente para lhes servir um peru. Entendam que sou apenas um cavalheiro gentil e bonachão.

— Rá — disse Charles Wallace.

O homem ergueu os lábios para sorrir, e seu sorriso era a coisa mais horrível que Meg já havia visto.

— Por que não confia em mim, Charles? Por que não confia a ponto de entrar e descobrir quem sou? Sou paz e tranquilidade absolutas. Sou a liberdade de qualquer responsabilidade. Acessar-me será a última decisão difícil que você terá de tomar.

— Se eu entrar, tenho como sair? — perguntou Charles Wallace.

— Se quiser, é claro. Mas creio que não vá querer.

— Se eu entrar... não para ficar, me entenda bem... apenas para saber mais de você... nos dirá onde está o Pai?

— Sim. Eu prometo. E não sou leviano com as minhas promessas.

— Posso falar a sós com Meg e Calvin, sem você ouvir?
— Não.

Charles deu de ombros.

— Ouçam — disse ele a Meg e Calvin. — Tenho que descobrir o que ele realmente é. Vocês sabem. Tentarei me conter. Tentarei manter parte de mim de fora. Desta vez você não deve me deter, Meg.

— Mas isso não vai dar certo, Charles! Ele é mais forte que você! Você sabe que é!

— Tenho que tentar.

— Mas a Sra. Quequeé nos alertou!

— Tenho que tentar. Pelo Pai, Meg. Por favor. Eu quero... eu quero conhecer meu pai — Por um instante seus lábios tremeram. Então ele voltou ao controle. — Mas não é só o Pai, Meg. Você sabe. É a Coisa Escura. Temos que fazer aquilo que a Sra. Qual mandou.

— Calvin... — implorou Meg.

Mas Calvin fez que não com a cabeça.

— Ele tem razão, Meg. E nós estaremos com ele, independente do que acontecer.

— Mas o que vai acontecer? — gritou Meg.

Charles Wallace encarou o homem.

— Certo — disse ele. — Vamos.

Agora os olhos vermelhos e a luz do alto pareciam penetrar Charles, e as pupilas do garotinho contraíram-se mais uma vez. Quando o último ponto de preto se perdeu no azul, ele deu as costas aos olhos vermelhos, olhou para Meg e esboçou um sorriso meigo. Mas o sorriso não era o mesmo de Charles Wallace.

— Venha, Meg. Vamos comer este delicioso prato que ele nos preparou — disse ele.

Meg arrancou o prato de Charles Wallace e jogou o objeto no chão, fazendo a comida se esparramar e o prato quebrar-se em cacos.

— Não! — gritou ela, sua voz cada vez mais histérica. — Não! Não! Não!

Das sombras, surgiu um dos homens de jaleco preto e colocou outro prato diante de Charles Wallace, que começou a comer com gosto.

— Qual o problema, Meg? — perguntou Charles Wallace.

— Por que está agindo de maneira tão belicosa? — A voz era a de Charles Wallace, mas também tinha algo de diferente, mais nivelado, quase como soaria uma voz em um planeta bidimensional.

Meg segurou Calvin com força, gritando.
— Não é Charles! *Charles se foi!*

8

A Coluna Transparente

Charles Wallace estava lá, sentado, empanturrando-se de peru com molho, como se aquilo fosse a coisa mais deliciosa que já havia comido. Estava vestido como Charles Wallace; tinha a cara de Charles Wallace; tinha o mesmo cabelo castanho, o mesmo rosto que ainda não havia perdido o arredondado de bebê. Só os olhos eram diferentes, pois o preto seguia engolido pelo azul. Mas era muito mais que isso que fazia Meg achar que Charles Wallace havia sumido, que o garotinho no seu lugar era só uma cópia de Charles Wallace, só um boneco.

Ela conseguiu controlar o choro.

— Onde ele está? — ela quis saber do homem dos olhos vermelhos. — O que você fez com ele? Onde está Charles Wallace?

— Ora, minha cara criança, você está histérica — pensou o homem dentro dela. — Ele está bem aí à sua frente, sadio e contente. Perfeitamente sadio e contente pela primeira vez na vida. E está terminando o jantar, algo que seria sensato que você também fizesse.

— Você sabe que esse não é o Charles! — berrou Meg. — Você deu um jeito de dominá-lo!

— Shh, Meg! Não adiantar falar com ele — disse Calvin, em voz baixa no seu ouvido. — O que temos que fazer é segurar Charles Wallace bem forte. Ele está aí, em algum lugar, e não podemos deixar que eles o levem. Me ajude a segurá-lo, Meg. Não perca o controle. Não agora. Você tem que me ajudar a segurar o Charles! — Ele pegou o garotinho firme pelo braço.

Lutando para controlar sua histeria, Meg pegou o outro braço de Charles, segurando-o com força.

— Está me *machucando*, Meg! — disse Charles, ríspido. — Me solte!

— Não — falou Meg, séria.

— Todos estávamos errados. — A voz de Charles Wallace, pensou Meg, podia ser uma gravação. Havia algo de enlatado nela. — Ele não é o inimigo. Ele é nosso amigo.

— Ficou louco — respondeu Calvin, áspero.

— Você não entendeu, Calvin — disse Charles Wallace. — A Sra. Queequeé, a Sra. Quem e a Sra. Qual nos confundiram. São *elas* as nossas verdadeiras inimigas. Não deveríamos ter confiado nelas, nem por um instante. — Ele falava com a voz mais calma e sensata possível, a voz que deixava os gêmeos furiosos. Ele parecia olhar direto para Calvin enquanto falava. Ainda assim, Meg tinha certeza de que aqueles olhos azuis e meigos não enxergavam nada, e que alguém, outra pessoa, estava olhando para Calvin através de Charles.

Então, os olhos gelados e estranhos voltaram-se para ela.

— Meg, me solte. Eu explico, mas você tem que me soltar.

— Não. — Meg rangeu os dentes. Ela não soltou a mão, e Charles Wallace começou a se afastar com uma força que não era a dele, uma força contra a qual a força dela não era páreo. — Calvin! — Ela arfou quando Charles Wallace puxou o braço dela e levantou-se.

Calvin, o atleta; Calvin, o garoto que partia a lenha para sua mãe, cujos músculos eram fortes e controlados, soltou o pulso de Charles Wallace e o prendeu no chão como se o menino fosse uma bola. Meg, em pânico e raiva, saltou no homem na poltrona, com a intenção de acertá-lo tal como Charles Wallace havia feito. Mas os homens de jaleco preto eram muito rápidos e um deles a segurou com os braços presos às costas.

— Calvin, eu sugiro que você me solte — disse a voz de Charles Wallace de debaixo de Calvin.

Calvin, com o rosto retorcido de determinação, não relaxou o braço. O homem dos olhos vermelhos fez um sinal e três homens dirigiram-se a Calvin (pelo menos foram necessários três deles), soltaram-no à força e seguraram-no do mesmo modo que os outros faziam com Meg.

— Sra. Quequeé! — chamou Meg desesperada. — Ai, Sra. Quequeé!

Mas a Sra. Quequeé não apareceu.

— Meg — disse Charles Wallace. — Meg, me escute.

— Ok, estou escutando.

— Já falei que estávamos todos errados; nós não entendemos. Temos lutado contra nosso amigo, também amigo do Pai.

— Se o Pai me disser que ele é nosso amigo, quem sabe eu acredito. Quem sabe. A não ser que nosso Pai... esteja sob... sob um feitiço, ou o que quer que seja, como você.

— Não estamos em um conto de fadas. Ora, feitiços — disse Charles Wallace. — Meg, você tem que parar de relutar e ficar tranquila. Relaxe e seja feliz. Ah, Meg, se você relaxar, vai perceber que todos os nossos problemas acabaram. Você não entende o lugar maravilhoso em que está. Veja que, neste planeta, tudo está em perfeita ordem porque todos aprenderam a ser tranquilos, a ceder, a se sujeitar. Tudo que você precisa fazer, minha cara irmã, é olhar com calma e firmeza nos olhos de nosso bom amigo que ele vai dominá-la tal como me dominou.

— Isso mesmo, ele dominou você! — disse Meg. — Você sabe que você não é você. Você sabe que nunca, em toda sua vida, me chamou de *cara irmã*.

— Fique quieta só um minuto, Meg — cochichou Calvin para ela. Ele ergueu o olhar para o homem dos olhos vermelhos. — Ok, faça seus subordinados nos soltarem e pare de falar conosco através de Charles. Sabemos que é você falando através dele. Sabemos que você o hipnotizou.

— Que modo mais primitivo de expressar o que fiz — murmurou o homem dos olhos vermelhos. Ele fez um gesto discreto com um dos dedos, e Meg e Calvin foram soltos.

— Obrigado — disse Calvin, sarcástico. — Agora, se você é nosso amigo, pode me dizer quem, ou o que, você é?

— Vocês não precisam saber quem sou. Sou o Coordenador Primaz. É tudo de que precisam saber.

— Mas alguém está falando através de você, assim como acontece com Charles Wallace, não é? Você também está hipnotizado?

— Eu falei que era uma palavra muito primitiva, sem as conotações corretas.

— É você que vai nos levar ao Sr. Murry?

— Não. Não é necessário e tampouco me é possível sair deste lugar. Charles Wallace conduzirá vocês.

— Charles Wallace?

— Sim.

— Quando?

— Agora. — O homem dos olhos vermelhos fez a careta horripilante que lhe servia de sorriso. — Sim, creio que pode ser agora.

Charles Wallace fez um rápido meneio com a cabeça e disse:

— Venham. — E começou a caminhar de modo estranho, mecânico, como se deslizasse no chão. Calvin o seguiu. Meg hesitou, passou seu olhar do homem dos olhos vermelhos para Charles e Calvin. Ela queria estender a mão e segurar a de Calvin, mas sentiu que desde que eles haviam começado suas jornadas ela vinha procurando uma mão para segurar, por isso enfiou os punhos nos bolsos e saiu a caminhar com os dois garotos.

— Tenho que ser corajosa — disse ela a si mesma. — E *vou* ser.

Eles saíram caminhando por um corredor comprido, branco e aparentemente infinito. Charles Wallace continuou no ritmo irregular de sua caminhada e nem uma vez olhou para trás para ver se os amigos o acompanhavam.

De repente, Meg saiu em disparada e alcançou Calvin.

— Cal — disse ela —, ouça. Rápido. Lembra de quando a Sra. Quequeé disse que seu dom era a comunicação e que era isso que ela ia lhe dar? Estamos tentando lutar com Charles fisicamente e não funciona. Pode tentar comunicar-se com ele? Pode tentar chegar nele?

— Minha nossa, você tem razão. — O rosto de Calvin se iluminou de esperança, e seus olhos, que antes estavam soturnos, recobraram o cintilar típico. — Eu ando numa agonia tão grande... Talvez não ajude em nada, mas posso tentar. — Eles apressaram o passo até ficarem alinhados com Charles Wallace. Calvin estendeu o braço para tocá-lo, mas Charles o soltou.

— Me deixe em paz — rosnou ele.

— Eu não vou machucar você, camarada anômalo — disse Calvin. — Só quero ser seu amigo. Vamos fazer as pazes?

— Quer dizer que você vai aceitar? — perguntou Charles Wallace.

— Claro. — A voz de Calvin era sedutora. — Afinal, somos gente sensata. Só olhe para mim um instante, Charlibú.

Charles Wallace parou e virou-se lentamente para fitar Calvin com aqueles olhos frios e vazios. Calvin devolveu o olhar, e Meg sentiu a intensidade da sua concentração. Um estremecer gigante sacudiu Charles Wallace. Por um breve instante, seus olhos pareciam enxergar. Então, seu corpo inteiro deu um rodopio insano e ficou rígido. Ele retomou sua caminhada de marionete.

— Eu devia ter adivinhado — disse ele. — Se querem ver Murry, é bom que não tentem essas bobagens mais uma vez.

— É assim que você chama seu pai? Murry? — perguntou Calvin. Meg via que ele estava furioso com seu quase sucesso.

— Pai? O que é um pai? — exclamou Charles Wallace. — Apenas mais um conceito errôneo. Se acham que precisam de um pai, sugiro que voltem-se ÀQUELE.

AQUELE, de novo.

— Quem é AQUELE? — perguntou Meg.

— Tudo a seu tempo — disse Charles Wallace. — Vocês ainda não estão prontos para AQUELE. Em primeiro lugar, vou lhes contar uma coisa sobre este belo e iluminado planeta de Camazotz. — Sua voz assumiu o tom seco e pedante do Sr. Jenkins. — Talvez não percebam, mas em Camazotz nós superamos toda doença, toda deformidade

— Nós? — interrompeu-o Calvin.

Charles respondeu como se não tivesse ouvido. *E claro que não tinha*, pensou Meg.

— Não deixamos que ninguém sofra. É muito mais bondoso simplesmente aniquilar quem estiver doente. Ninguém tem semanas e semanas de nariz escorrendo e dor de garganta. Ao invés de aguentar este desconforto, simplesmente botamos as pessoas para dormir.

— Quer dizer que, quando têm um resfriado, vocês fazem as pessoas se deitarem ou que elas são assassinadas? — quis saber Calvin.

— Assassinato é uma palavra tão primitiva — disse Charles Wallace. — Não existe essa coisa chamada assassinato em Camazotz. AQUELE resolve esse tipo de coisa. — Ele seguiu aos solavancos até a parede do corredor, ficou parado um instante, depois ergueu a mão. A parede tremeluziu e ficou transparente. Charles Wallace a atravessou, fez sinal para Meg e Calvin irem e eles o seguiram. Estavam em uma pequena sala quadrada da qual irradiava uma luz fraca, sulfurosa. Meg sentiu que havia algo de sinistro na compacidade daquela sala, como se as paredes, o teto e o chão fossem se unir e esmagar qualquer um que fosse imprudente o bastante de entrar ali.

— Como você fez isso? — perguntou Calvin a Charles.

— Fiz o quê?

— Fez a porta... se abrir desse jeito.

— Apenas reorganizei os átomos — respondeu Charles Wallace, em tom de empáfia. — Você estudou átomos no colégio, não estudou?

— Sim, claro, mas...

— Então sabe que a matéria não é sólida, não sabe? Que você, Calvin, consiste-se sobretudo de espaço vago? Que, caso toda a matéria em seu corpo se aglomerasse, você seria do tamanho de uma cabeça de alfinete? É uma verdade científica, não é?

— É, mas...

— Pois eu apenas empurrei os átomos de lado e caminhamos pelo espaço entre eles.

O estômago de Meg pareceu pesar. Ela percebeu que a caixa quadrada em que eles estavam devia ser um elevador e que haviam começado a subir em alta velocidade. A luz amarela iluminou seus rostos, e o azul pálido dos olhos de Charles absorveu o amarelo até ficar verde.

Calvin lambeu os lábios.

— Aonde vamos?

— Para cima. — Charles prosseguiu em seu discurso. — Em Camazotz, somos felizes porque somos todos iguais. Diferenças geram problemas. Você sabe bem disso, não sabe, cara irmã?

— Não — respondeu Meg.

— Ah, sabe, sabe sim. No seu lar, vocês viram como isso é verdade. Você sabe que é por isso que você é infeliz no colégio. Porque você é diferente.

— *Eu* sou diferente e sou feliz — disse Calvin.

— Mas você finge que *não é* diferente.

— Eu sou diferente e gosto de ser diferente. — A voz de Calvin ficou mais alta de um modo pouco natural.

— Talvez eu *não* goste de ser diferente — disse Meg —, mas também não quero ser igual a todo mundo.

Charles Wallace ergueu a mão e o movimento da caixa quadrada parou. Uma das paredes pareceu sumir. Charles saiu, Meg e Calvin foram atrás. Calvin mal saiu e a parede voltou a ser parede, e eles não conseguiram mais ver onde havia uma passagem.

— Você queria que Calvin fosse deixado para trás, não é? — disse Meg.

— Estou apenas lhes ensinando a ficarem atentos. E aviso que, se tiver mais problemas com algum de vocês, terei que levá-los ÀQUELE.

Quando a palavra AQUELE caiu dos lábios de Charles, mais uma vez Meg sentiu como se tivesse sido tocada por algo pegajoso e terrível.

— Então o que é AQUELE? — perguntou ela.
— Você pode chamar AQUELE de Chefe. — Então Charles Wallace deu uma risadinha, a risadinha que era o som mais sinistro que Meg já havia ouvido. — AQUELE às vezes chama a si de Sádico Sátiro.

Meg falou friamente para encobrir o medo:
— Não sei do que você está falando.
— É s-á-d-i-c-o, depois s-á-t-i-r-o, entenderam? — Charles Wallace deu a risadinha de novo. — Tem muita gente que não sabe a ordem.
— Bom, não me interessa — falou Meg, desafiadora. — Eu não quero conhecer AQUELE nunca, e é isso.

A voz estranha e monótona de Charles Wallace rangeu nos ouvidos dela.
— Meg, era para você ter *alguma* noção. Por que vocês acham que acontecem guerras em seu lar? Por que vocês acham que as pessoas ficam confusas, infelizes? Porque elas vivem suas vidas à parte, na individualidade. Venho tentando explicar-lhes do modo mais simples possível que aqui, em Camazotz, nós acabamos com os indivíduos. Camazotz é UMA mente só, e esta mente é AQUELE. Por isso todos são felizes e eficientes. É isso que essas bruxas velhas como a Sra. Quequeé não querem que aconteça no seu lar.
— Ela não é bruxa — interrompeu Meg.
— Não?
— Não — disse Calvin. — Você sabe que não é. Você sabe que é uma brincadeira delas. O jeito delas disfarçarem o nervosismo, quem sabe.
— Disfarçar, exatamente — prosseguiu Charles. — Elas querem que continuemos confusos em vez de devidamente organizados.

Meg sacudiu a cabeça com veemência.

— Não! — berrou ela. — Eu sei que nosso mundo não é perfeito, Charles, mas é melhor que este. Esta não é a única alternativa! Não pode ser!

— Aqui, ninguém sofre — exclamou Charles. — Ninguém nunca fica infeliz.

— E ninguém fica feliz também — disse Meg, séria. — Se não for infeliz às vezes, você não saberá como é ser feliz. Calvin, eu quero ir para casa.

— Não podemos deixar Charles — respondeu Calvin — e não podemos ir antes de encontrar seu pai. Você sabe disso. Mas tem razão, Meg, e a Sra. Qual está certa. Isto aqui é Maligno.

Charles Wallace fez um não com a cabeça. Daquela pessoinha, pareciam emanar apenas desprezo e reprovação.

— Venham. Estamos desperdiçando tempo. — Ele andava rápido pelo corredor, mas continuava falando. — Como é temível ser um organismo inferior e individualista. Tsc, tsc, tsc. — Seu passo se apressou, suas perninhas piscavam, de forma que Meg e Calvin tiveram quase que correr para acompanhá-lo. — Agora vejam — disse ele. Ergueu a mão, e de repente eles conseguiam ver, através da parede, uma sala pequena. Na sala, um garotinho batia uma bola. Ele batia conforme um ritmo determinado, e as paredes da cela pareciam pulsar com o ritmo da bola. A cada momento que a bola quicava, ele gritava como se sentisse dor.

— É o menino que vimos hoje à tarde — disse Calvin, na hora. — O menino que não batia a bola igual aos outros.

Charles Wallace deu a risadinha de novo.

— Sim. Vez por outra temos falta de cooperação, mas é algo que se resolve fácil. Depois de hoje, ele nunca mais vai querer divergir. Ah, chegamos.

Ele caminhou depressa pelo corredor e mais uma vez estendeu a mão para deixar a parede transparente. Eles olharam para outra pequena sala ou cela. No centro, havia uma coluna grande, redonda e transparente e, dentro desta coluna, um homem.

— PAI! — gritou Meg.

9
AQUELE

Meg correu na direção do homem aprisionado na coluna. Mas ao chegar no que parecia ser uma porta aberta, ela foi lançada para trás, como se houvesse batido em um muro.

Calvin a segurou.

— Só está transparente como vidro agora — disse ele. — Não temos como atravessar.

Meg ficou tão tonta e enjoada com o impacto que não conseguiu responder. Por um instante, teve medo de que fosse vomitar ou desmaiar. Charles Wallace riu de novo, aquela risada que não era dele. Foi isso que a salvou, pois mais uma vez a raiva superou a dor e o medo. Charles Wallace, seu querido e verdadeiro Charles Wallace, nunca ria quando ela se machucava. Em vez disso, seus bracinhos a abraçavam rápido pelo pescoço e ele apertava suas bochechas macias contra as dela para consolá-la. Mas o Charles Wallace-demônio dava um riso de deboche. Ela lhe deu as costas e olhou de novo para o homem na coluna.

— Ah, Pai... — sussurrou ela, ardorosa, mas o homem na coluna não se mexeu para vê-la. Os óculos com aro de tartaruga, que sempre pareceram fazer parte dele, não estavam lá.

A expressão em seus olhos era de alguém voltado para dentro, como se estivesse perdido em pensamentos. Estava de barba, cujo castanho sedoso mostrava fios grisalhos. Seu cabelo também não fora cortado. Não era só aquele cabelo comprido no retrato no Cabo Canaveral; estava repuxado desde sua testa alta e caía quase que de maneira delicada sobre os ombros, de modo que ele parecia alguém de outro século ou um náufrago. Mas não havia dúvida: apesar de transformado, aquele era o pai de Meg, seu amado pai.

— Nossa, mas ele está um trapo, não é? — disse Charles Wallace, com a risada maliciosa.

Meg lançou-se nele com uma raiva doentia.

— Charles, é o Pai! O Pai!

— E daí?

Meg deu as costas a Charles e estendeu os braços para o homem na coluna.

— Ele não nos enxerga, Meg — disse Calvin, com delicadeza.

— Por quê? Por quê?

— Acho que é igual àqueles olhos mágicos que têm nas portas dos apartamentos — explicou Calvin. — Você sabe. De dentro você consegue enxergar e tal. Mas de fora não dá para ver nada. Temos como vê-lo, mas ele não tem como nos enxergar.

— Charles! — implorou Meg. — Deixe eu entrar para ver o Pai!

— Por quê? — perguntou Charles, em tom plácido.

Meg se lembrou de que, quando estavam na sala com o homem dos olhos vermelhos, ela havia feito Charles Wallace voltar a si quando fez sua cabeça levar um baque no chão; então, lançou-se contra ele. Antes que ela conseguisse alcançá-lo, porém, ele estendeu o punho e deu um soco na barriga de Meg. Ela ficou sem fôlego. Enojada, ela distanciou-se do irmão e voltou à parede transparente. Ali estava a cela, ali estava a coluna e, lá dentro, seu pai. Embora pudesse vê-lo, embora estivesse perto o bastante para conseguir tocá-lo, ele parecia mais distante do que estivera quando ela o mostrara a Calvin no retrato sobre o piano. Ele estava lá, silencioso, quieto, como se congelado numa coluna de gelo, uma expressão de sofrimento e persistência no rosto que perfurava o coração de Meg como uma flecha.

— Você disse que quer ajudar o Pai? — A voz de Charles Wallace, sem emoção alguma, vinha das costas dela.

— Sim. Você não? — perguntou Meg, girando para encará-lo.

— Mas é claro que sim. É por isso que estamos aqui.

— Então, o que *faremos*? — Meg esforçou-se para afastar o nervosismo da voz, tentando soar tão desprovida de emoção quanto Charles, mas mesmo assim encerrou a pergunta com um agudo.

— Vocês terão que fazer como eu e adentrar AQUELE — disse Charles.

— Não.

— Vejo que não quer mesmo salvar o Pai.

— Como é que eu me transformar num zumbi vai salvar o Pai?

— Você terá que aceitar minha palavra, Margaret — disse a voz fria e monocórdia de Charles Wallace. — AQUELE quer você e AQUELE vai pegar você. Não se esqueça de que eu também faço parte d'AQUELE. Você sabe que eu não aceitaria AQUELE se AQUELE não fosse o certo.

— Calvin — perguntou Meg, em agonia —, isso vai mesmo salvar o Pai?

Mas Calvin não estava lhe dando atenção, pois parecia totalmente concentrado em Charles Wallace. Ele fitava o azul-claro que era tudo que restava dos olhos do garotinho.

— E, dado ele ser de espírito tão dócil / Para cumprir ordens demais mundanas e repugnas... / ela confinou-lhe... numa fenda de pinheiro... — sussurrou ele, e Meg reconheceu as palavras que a Sra. Quem havia lhe dito.

Por um instante, Charles Wallace pareceu escutar. Então deu de ombros e virou-se. Calvin o seguiu, tentando manter os olhos focados em Charles.

— Se quer uma bruxa, Charles, AQUELE é uma bruxa — disse ele. — Não as nossas senhoras. Que bom que eu li A *Tempestade* no colégio este ano, não é, Charles? Foi a bruxa quem prendeu Ariel dentro do pinheiro, não foi?

A voz de Charles Wallace parecia vir de muito longe.

— Parem de olhar para mim.

Com a respiração rápida de empolgação, Calvin continuou a fixar Charles Wallace com os olhos.

— Você é igual a Ariel no pinheiro, Charles. E posso libertar você. Olhe nos meus olhos, Charles. Volte para nós.

Mais uma vez, a voz de Charles Wallace foi atravessada por um tremor.

A voz intensa de Calvin o atingiu.

— Volte, Charles. Volte para nós.

Charles estremeceu de novo. E então, foi como se uma mão invisível batesse em seu peito e o derrubasse no chão. O olhar que Calvin usou para segurá-lo perdeu o efeito. Charles ficou sentado no chão do corredor, ganindo. Não um som emitido por um garotinho, mas um som animalesco, de terror.

— Calvin. — Meg virou-se para ele, apertando as mãos com força. — Tente chegar no Pai.

Calvin fez que não.

— Charles quase se libertou. Eu quase consegui. Ele quase voltou para nós.

— Tente o Pai — pediu Meg de novo.

— Como?

— Esse negócio do pinheiro. O Pai não está tão preso num pinheiro quanto Charles? Veja ele ali, dentro daquela coluna. Tire ele dali, Calvin.

Calvin falou como se estivesse exausto.

— Meg, eu não sei o que fazer. Não sei como entrar ali. Elas querem demais de nós, Meg.

— Os óculos da Sra. Quem! — falou Meg, de repente. A Sra. Quem havia lhe dito para usar como último recurso, e esta era evidentemente a situação apropriada. Ela enfiou a mão no bolso e os óculos estavam lá, gelados, leves e reconfortantes. Com os dedos trêmulos, ela os puxou.

— Me dê esses óculos! — A voz de Charles Wallace saiu como uma ordem áspera, e ele correu na direção dela.

Meg mal teve tempo de puxar seus próprios óculos e colocar os da Sra. Quem, e o que aconteceu foi que uma haste caiu pela sua bochecha e os óculos mal se equilibraram no seu nariz. No momento em que Charles Wallace a atacou, ela lançou-se contra a porta transparente e a atravessou. Estava na cela com a coluna de prisão que trancava seu pai. Com dedos trêmulos, ela arrumou os óculos da Sra. Quem e guardou os seus no bolso.

— Me dê isso aqui — surgiu a voz ameaçadora de Charles Wallace. Ele estava na cela com ela, com Calvin do lado de fora batendo freneticamente para entrar.

Meg deu um chute em Charles Wallace e correu em direção à coluna. A sensação era de que ela atravessava algo escuro e gelado. Mas, ainda assim, atravessou.

— Pai! — gritou ela. E estava, enfim, nos braços dele.

Este era o momento pelo qual ela esperava não só desde que a Sra. Qual os lançou nesta jornada, mas desde muitos e longos meses e anos, quando as cartas pararam de chegar, quando as pessoas começaram a fazer comentários maldosos sobre Charles

Wallace, quando a Sra. Murry deixou escapar um raro lampejo de solidão e luto. Era este momento que significava que, agora e para sempre, tudo ia ficar bem.

Enquanto ela se aconchegava no pai, tudo que não era alegria foi esquecido. Havia apenas a paz e o conforto de encostar-se nele, a maravilha que era o círculo protetor de seus braços, a sensação de segurança e tranquilidade totais que sua presença sempre lhe dera.

A voz dela irrompeu com um choramingo de felicidade.

— Ah, pai! Ah, pai!

— Meg! — gritou ele, em uma grata surpresa. — Meg, o que está fazendo aqui? Onde está sua mãe? Onde estão os meninos?

Ela olhou para fora da coluna e lá estava Charles Wallace, na cela, uma expressão alienígena a distorcer seu rosto. Ela voltou-se para o pai. Não havia mais tempo para cumprimentos, para alegria, para explicações.

— Temos que chegar em Charles Wallace — disse ela, as palavras saindo tensas. — Depressa.

As mãos do pai tatearam o rosto de Meg e, conforme sentia o toque daqueles dedos fortes e delicados, ela teve um acesso de temor ao perceber que podia enxergá-lo, que conseguia ver Charles na cela e Calvin no corredor, mas o pai não conseguia vê-los e nem conseguia enxergá-la à sua frente. Ela olhou para ele em pânico, mas os olhos do pai eram do mesmo azul de que ela se lembrava. Ela passou a mão de forma brusca na sua linha de visão, mas ele não piscou.

— Pai! — gritou ela. — Pai! Você não consegue me enxergar?

Os braços dele a envolveram de novo, num gesto que transmitia carinho e serenidade.

— Não, Meg.

— Mas, Pai, eu enxergo você — A voz dela se perdeu. De repente ela empurrou os óculos da Sra. Quem nariz abaixo e espiou por cima. Imediatamente viu-se em trevas absolutas. Puxou os óculos da cara e colocou-os no pai. — Tome.

Os dedos dele fecharam-se nos óculos.

— Querida — disse ele—, acho que seus óculos não vão me ajudar.

— Mas são os óculos da Sra. Quem, não os meus — explicou ela, sem perceber que suas palavras iam soar como uma besteira. — Por favor, Pai, experimente os óculos. Por favor! — Ela aguardou enquanto o sentia tateando no escuro. — Agora está enxergando? — perguntou ela. — Já está conseguindo ver, Pai?

— Sim — disse ele. — Consigo. A parede está transparente. Que extraordinário! Eu quase consigo ver os átomos se reorganizando! — A voz dele tinha o tom antigo e familiar de empolgação e descoberta. Era o modo como sua voz soava naquelas vezes em que ele voltava para casa depois de um dia produtivo no laboratório e começava a contar à esposa do seu trabalho. Então, ele berrou: — Charles! Charles Wallace! — E depois: — Meg, o que houve com ele? Qual é o problema? Aquele *é* o Charles, não é?

— *Era* ele, Pai — explicou ela, tensa. — Charles cedeu ÀQUELE. Pai, nós temos que ajudá-lo.

O Sr. Murry ficou em silêncio por um longo momento. O silêncio estava repleto de palavras que ele estava pensando e não queria dizer à filha em voz alta. Então disse:

— Meg, eu estou preso. Estou aqui há...

— Pai, estas paredes. Você tem como atravessá-las. Eu entrei na coluna para buscá-lo. Foram os óculos da Sra. Quem.

O Sr. Murry não parou para perguntar quem seria a Sra. Quem. Ele bateu a mão contra a coluna translúcida.

— Me parece sólida.

— Mas eu entrei — repetiu Meg. — Estou aqui. Talvez os óculos ajudem os átomos a se reorganizar. Tente, Pai.

Ela ficou aguardando, sem fôlego, e depois de um instante percebeu que estava sozinha na coluna. Meg estendeu as mãos nas trevas e sentiu a superfície suave fazendo a curva nela em todos os lados. Parecia que estava absolutamente sozinha, o silêncio e as trevas impenetráveis para sempre. Lutou contra o pânico até ouvir a voz do pai chegando nela, bastante fraca.

— Eu voltarei para buscá-la, Meg.

Quando os átomos do estranho material aparentemente abriram-se para deixar que ele chegasse a ela, a sensação foi quase tangível. Na casa de praia que eles tinham no Cabo Canaveral, havia uma cortina entre a sala de estar e a de jantar feita de linhas com grãos de arroz. Parecia uma cortina sólida, mas era possível atravessá-la. De início, Meg hesitava toda vez que chegava perto da cortina; aos poucos, porém, acostumou-se e passava correndo, deixando os grãos de arroz sacudindo depois de passar. Talvez os átomos destas paredes estivessem organizados mais ou menos do mesmo modo.

— Ponha os braços ao redor do meu pescoço, Meg — disse o Sr. Murry. — Segure-se em mim com força. Feche os olhos e não tenha medo. — Ele a tirou do chão, ela envolveu suas pernas compridas em torno da cintura do pai e agarrou-se no seu pescoço. Com os óculos da Sra. Quem, ela sentira apenas leve escuridão e frio conforme andava pela coluna. Sem os óculos, ela sentia a mesma umidade temível que sentira quando eles tesseraram pelas trevas externas a Camazotz. Seja lá o que fosse a Coisa Escura à qual Camazotz havia se entregado, ela existia tanto dentro quanto fora do planeta. Por um instante, foi como se as trevas geladas fossem arrancá-la dos braços do pai. Meg tentou gritar, mas, naquele gélido terror, não havia som possível. Os braços do pai retesaram-se em volta da filha, e ela prendeu-se em seu pescoço com um aperto esquisito. Mas não estava mais entregue ao pânico. Meg sabia que, se não conseguisse atravessar a parede junto a ela, o pai ficaria ali, não iria deixá-la; sabia que estava segura enquanto estivesse nos braços dele.

Então, eles conseguiram sair. A coluna seguia erguida no meio da sala, transparente como cristal e vazia.

Meg piscou para enxergar as figuras borradas de Charles e seu pai, e não entendia por que elas não ficavam nítidas. Então, puxou seus óculos do bolso, colocou-os no lugar e seus olhos míopes conseguiram focar.

Charles Wallace estava batendo um pé impaciente contra o chão.

— AQUELE não está contente — disse ele. — AQUELE não está nada contente.

O Sr. Murry soltou Meg e ajoelhou-se em frente ao garotinho.

— Charles. — Sua voz era calorosa. — Charles Wallace.

— O que você quer?

— Sou seu pai, Charles. Olhe para mim.

Os olhos azul-claros pareceram focar no rosto do Sr. Murry.

— Oi, Pápi — veio a voz insolente.

— Esse não é Charles! — gritou Meg. — Ah, Pai, Charles não é assim. AQUELE o dominou.

— Sim. — O Sr. Murry parecia cansado. — Entendi. — Ele estendeu os braços. — Charles. Venha cá.

O Pai vai resolver tudo, pensou Meg. *Agora tudo vai ficar bem.* Charles não seguiu na direção dos braços abertos. Ficou a alguns passos do pai e não olhou para ele.

— Olhe para mim — ordenou o Sr. Murry.

— Não.

A voz do Sr. Murry ficou áspera.

— Quando falar comigo, diga "Não, pai" ou "Não, senhor."

— Pode parar, pápi — saiu a voz gelada de Charles Wallace. O Charles Wallace que, fora de Camazotz, já tinha sido estranho, já tinha sido diferente, mas nunca grosseiro. — Aqui você não manda.

Meg viu Calvin batendo de novo na parede de vidro.

— Calvin! — gritou ela.

— Ele não tem como ouvir — disse Charles. Ele fez um careta horrível para Calvin, e então levou o dedão na ponta do nariz.

— Quem é Calvin? — perguntou o Sr. Murry.

— Ele... — Meg começou a falar, mas Charles Wallace a cortou.

— Suas explicações ficarão para depois. Vamos.

— Vamos aonde?

— ÀQUELE.

— Não — disse o Sr. Murry. — Você não pode levar Meg lá.

— Ah, não posso?

— Não, não pode. Você é meu filho, Charles, e vai fazer o que eu mando.

— Mas ele *não é* o Charles! — gritou Meg, angustiada. Por que o pai dela não entendia? — Charles não é assim, Pai! Você sabe que ele não é assim!

— Ele era só um bebê quando eu saí de casa — disse o Sr. Murry, em tom pesaroso.

— Pai, é AQUELE que está falando através de Charles. AQUELE não é Charles. Ele... ele está enfeitiçado.

— De volta aos contos de fada... — disse Charles.

— Você conhece AQUELE, Pai? — perguntou Meg.

— Sim.

— Já viu AQUELE?

— Já, Meg. — A voz, mais uma vez, era de cansaço. — Já vi. — Ele virou-se para Charles. — Você sabe que ela não resistiria.

— Exatamente — disse Charles.

— Pai, você não pode falar com ele como se fosse o Charles! Pergunte a Calvin! Calvin vai lhe contar!

— Venham comigo — disse Charles Wallace. — Temos que ir. — Ele ergueu a mão displicentemente e saiu da cela, restando a Meg e ao Sr. Murry apenas segui-lo.

Ao entrarem no corredor, Meg puxou a manga do pai.

— Calvin, esse é o Pai!

Calvin virou nervoso na direção dela. As sardas e o cabelo se destacavam no rosto lívido.

— Façam as apresentações depois — disse Charles Wallace. — AQUELE não gosta de esperar. — Ele seguiu caminhando pelo corredor, seu porte parecendo mais espasmódico a cada passo. Os outros o seguiram, caminhando depressa para acompanhar o ritmo.

— Seu pai sabe das Sras. Q? — perguntou Calvin a Meg.

— Não tivemos tempo para nada. Está tudo horrível. — O desespero se alojou como uma pedra na barriga de Meg. Antes, ela estava certa de que, no instante em que encontrasse o pai, tudo ficaria bem. Tudo se resolveria. Todos os problemas sairiam de suas mãos. Ela não seria mais responsável por nada.

E, em vez de obter resultado feliz e esperado, parecia que agora eles se deparavam com problemas novos de todo tipo.

— Ele não entendeu a situação de Charles — sussurrou ela para Calvin, olhando com tristeza para as costas do pai conforme ele caminhava atrás do garotinho.

— Aonde vamos? — perguntou Calvin.

— ÀQUELE. Calvin, eu não quero ir! Não posso! — Ela parou, mas Charles continuou com seu passo espasmódico.

— Não podemos deixar Charles — disse Calvin. — Elas não iam gostar.

— Quem não ia gostar?

— A Sra. Quequeé e companhia.

— Mas elas nos traíram! Elas nos trouxeram aqui, a esse lugar horrível, e nos abandonaram!

Calvin olhou para ela com uma expressão surpresa.

— Pode ficar sentada e desistir, se prefere assim — disse ele.

— Eu vou ficar com Charles. — Ele correu para manter-se no passo de Charles Wallace e do Sr. Murry.

— Eu não quis... — começou a falar Meg, mas parou e foi atrás deles.

Assim que ela os alcançou, Charles Wallace parou e ergueu a mão. Lá estava de novo o elevador com sua sinistra luz amarela. Meg sentiu a barriga se contrair quando a descida veloz teve início. Eles ficaram em silêncio até o movimento parar, em silêncio enquanto acompanhavam Charles Wallace por longos corredores e rua afora. O prédio da Inteligência Central CENTRAL pairava, rígido e anguloso, atrás deles.

Faça alguma coisa, implorou Meg ao pai em pensamento. *Faça alguma coisa. Ajude-nos. Salve-nos.*

Eles dobraram uma esquina e, ao fim da rua, havia um prédio estranho, que parecia um domo. Suas paredes brilhavam com o cintilar de uma chama violeta. Seu teto prateado pulsava com uma luz sinistra. A luz não era nem quente, nem fria, mas parecia projetar-se e tocá-los. *Devia ser aqui,* pensou Meg, *que AQUELE os aguardava.*

Eles desceram a rua, agora mais devagar, e ao chegar perto do prédio em domo o cintilar violeta pareceu se estender, envolvê-los, sugá-los: estavam dentro.

Meg sentiu um pulsar rítmico. Era um pulsar não só ao redor dela, mas também dentro dela, como se o ritmo de seu coração e de seus pulmões não mais lhe pertencesse, mas estivesse a serviço de uma força externa. O mais próximo que ela já havia chegado desta sensação fora quando treinou respiração boca a boca com as Escoteiras, e a líder, uma mulher extremamente forte, estava trabalhando com Meg, entoando "SAI ar ruim,

ENTRA ar bom" enquanto suas mãos pesadas apertavam, soltavam, apertavam, soltavam.

Meg começou a arfar, tentando respirar em seu ritmo normal, mas o ritmo inexorável para dentro e para fora prosseguiu. Por um instante, ela não conseguiu nem se mexer, nem olhar em volta para ver o que estava acontecendo com os outros. Simplesmente teve que ficar lá parada, tentando equilibrar-se no ritmo artificial de seu coração e pulmões. Seus olhos pareciam nadar em um mar vermelho.

Então, as coisas começaram a clarear, e ela conseguiu respirar sem arfar como se fosse um peixe em terra. Conseguiu olhar para o grande prédio com o domo. Ele estava totalmente vazio, à exceção do pulsar, que parecia algo tangível, e um tablado redondo exatamente no centro. No tablado ficava — o que seria? Meg não sabia dizer, mas sabia que era dali que vinha o pulsar. Ela seguiu em frente, hesitante. Sentiu que estava além do medo. Charles Wallace não era mais Charles Wallace. Haviam encontrado o Pai, mas ele não fizera tudo ficar bem. Em vez disso, tudo estava pior que nunca, e seu adorado pai estava barbado, magro, pálido, nada onipotente. Independentemente do que acontecesse a seguir, as coisas não tinham como ficar mais terríveis ou mais assustadoras do que já estavam.

Ou tinham?

Ao seguir adiante lentamente, aos poucos ela percebeu o que era a Coisa que estava sobre o tablado.

AQUELE era um cérebro.

Um cérebro desencarnado. Um cérebro avantajado, só um pouco maior que o normal e, por isso, no ponto certo de repugnância e terror. Um cérebro vivo. Um cérebro que pulsava e estremecia, que dominava, que ordenava. Não era à toa que o cérebro se chamava AQUELE. AQUELE era a coisa mais horrível, mais revoltante que ela já tinha visto, mais nojenta que tudo que sua mente consciente já imaginara, ou até mesmo que já a havia atormentado nos pesadelos mais horrendos.

Mas tal como ela havia sentido que estava além do medo, naquele momento ela estava além dos gritos.

Olhou para Charles Wallace ali parado, voltado para AQUELE, a boca levemente caída; seus olhos azuis vazios girando ligeiramente para cima.

Ah, sim, as coisas sempre podiam ficar pior. Os olhos girando dentro do rosto suave e redondo de Charles Wallace fizeram Meg congelar por dentro e por fora.

Ela tirou os olhos de Charles Wallace e do pai. O pai estava ali com os óculos da Sra. Quem ainda apoiados no nariz — ele lembrava que estava com eles? — e ele gritou com Calvin.

— Não se entregue!

— Não vou! Ajude Meg! — gritou Calvin em resposta. Dentro do domo havia silêncio absoluto e, mesmo assim, Meg percebeu que o único modo de falar era gritar com toda a potência possível. Pois aonde quer que ela olhasse, para onde quer que se voltasse, lá estava o ritmo. Conforme ele controlava a sístole e a diástole de seu coração, a entrada e a saída de ar, o miasma vermelho voltava a deslizar diante de seus olhos, e ela temeu que fosse perder a consciência. Se isso acontecesse, ela estaria totalmente à mercê d'AQUELE.

A Sra. Quequeé havia dito: *Meg, eu lhe dou seus defeitos.*

Quais eram seus maiores defeitos? Raiva, impaciência, teimosia. Sim, era a seus defeitos que ela recorria agora para salvar-se.

Com imenso esforço, ela tentou respirar contra o ritmo ditado por AQUELE. O poder d'AQUELE era forte demais. Cada vez que ela tentava respirar fora do ritmo, era como se uma mão de ferro tentasse apertar seu coração e pulmões.

Então, ela se lembrou que, quando eles haviam estado diante do homem dos olhos vermelhos e ele começou a proferir a tabuada, Charles Wallace havia combatido o poder dele gritando versinhos, enquanto Calvin citara o Discurso de Gettysburg.

— *Georgie Porgie, pudim e torta!* — berrou ela. — *Beijou a menina, que se quis morta!*

Não, não ficou bom. Era muito fácil um versinho entrar no ritmo d'AQUELE.

Ela não sabia o Discurso de Gettysburg de cor. Como começava a Declaração da Independência? Ela havia decorado naquele inverno — não porque a escola exigia, mas simplesmente por gostar do texto.

— Consideramos estas verdades evidentes por si mesmas! — gritou ela.— Que todos os homens são criados iguais, que são dotados pelo criador de certos direitos inalienáveis, estando entre estes a vida, a liberdade e a busca da felicidade!

Ao gritar as palavras, ela sentiu uma mente entrando na sua, sentiu AQUELE dominando-a, comprimindo seu cérebro. Então percebeu que Charles Wallace estava falando, ou que AQUELE falava através dele.

— Mas é exatamente isto que temos em Camazotz. Igualdade total. Todos exatamente idênticos.

Por um instante o cérebro dela vacilou, confuso. Então lhe ocorreu um momento de ardente verdade.

— Não! — gritou ela, triunfante. — *Iguais e idênticos* não são a mesma coisa!

— Boa, garota! — gritou o pai para ela.

Mas Charles Wallace prosseguiu, como se não tivesse ouvido a interrupção.

— Em Camazotz, todos são iguais. Em Camazotz, todos são idênticos a todos os demais. — Mas ele não argumentou, não forneceu uma resposta e ela manteve-se em seu momento de revelação.

Iguais e idênticos são duas coisas totalmente diferentes.

Por um instante, ela havia fugido do poder d'AQUELE.
Mas como?

Ela sabia que seu reles cérebro humano não era páreo para aquela grande massa incorpórea, pulsante e convulsionante que ficava sobre o tablado redondo. Ela tremeu ao olhar para AQUELE. No laboratório do colégio, havia um cérebro humano preservado em formol, que os formandos que se preparavam para a faculdade tinham que tirar do recipiente e estudar. Meg sentia que, quando aquele dia chegasse, ela não iria suportar. Mas agora ela pensava que, se tivesse uma lâmina para dissecação, ela atacaria AQUELE, retalhando impiedosamente *cerebrum* e cerebelo.

As palavras falaram dentro dela, desta vez diretamente, não através de Charles.

— Você não percebe que, se me destruir, também destruirá seu irmãozinho?

Se aquele grande cérebro fosse cortado, esmagado, será que toda as mentes sob controle d'AQUELE em Camazotz morreriam junto? Charles Wallace e o homem dos olhos vermelhos e o homem que cuidava da máquina número um de soletrar no nível de segunda série e todas as crianças brincando de bola e corda e todas as mães e todos os homens e mulheres que entravam e saíam dos prédios? Seria a vida deles absolutamente dependente d'AQUELE? Estariam eles além de qualquer possibilidade de salvação?

Ela sentiu o cérebro tocá-la mais uma vez quando deixou sua teimosia hesitar. Uma névoa vermelha vitrificou seus olhos.

Ela ouvia de longe a voz do pai, por mais que soubesse que ele gritava com toda a força dos pulmões.

— A tabela periódica, Meg! Recite!

Uma imagem brilhou na sua mente, de noites de inverno sentada diante da lareira, estudando com seu pai.

— Hidrogênio. Hélio — começou ela, obedientemente. Manter na ordem de número atômico. Qual vinha depois? Ela sabia. Sim. — Lítio, Berílio, Boro, Carbono, Nitrogênio, Oxigênio, Flúor. — Ela gritava as palavras para o pai, dando as costas para AQUELE. — Neônio. Sódio. Magnésio. Alumínio. Silício. Fósforo.

— Muito rítmico! — gritou seu pai. — Qual é a raiz quadrada de cinco?

Por um instante ela conseguiu se concentrar. *Gaste esse cérebro, Meg. Não deixe AQUELE gastá-lo.*

— A raiz quadrada de cinco é 2,236 — berrou ela, triunfante —, porque 2,236 vezes 2,236 dá 5!

— Qual é a raiz quadrada de sete?

— A raiz quadrada de sete é... — Ela parou. Não estava conseguindo. AQUELE estava chegando e ela não conseguia se concentrar, nem com matemática, e logo também seria absorvida por AQUELE, *seria* uma AQUELE.

— Tesserar, senhor! — Ela ouviu a voz de Calvin cruzar as trevas vermelhas. — Tesserar!

Ela sentiu o pai pegá-la pelo pulso, um puxão forte que pareceu quebrar cada osso de seu corpo, e, depois, o nada escuro do tesserar.

Se tesserar com a Sra. Quequeé, a Sra. Quem e a Sra. Qual fora uma experiência estranha e temível, não havia nada como tesserar com seu pai. Afinal de contas, a Sra. Qual tinha experiência, já o Sr. Murry... como é que ele sabia daquilo? Meg sentiu que estava sendo rasgada por um furacão. Ela se perdeu na agonia da dor que finalmente se desfez na escuridão da insconsciência absoluta.

10

Zero Absoluto

O primeiro sinal de que sua consciência estava voltando foi o frio. Depois, o som. Ela estava ciente das vozes que pareciam viajar por ela como se atravessassem uma planície ártica. Aos poucos, os sons gélidos ficaram mais claros e ela percebeu que as vozes eram de seu pai e de Calvin. Não se ouvia Charles Wallace. Ela tentou abrir os olhos, mas as pálpebras não se mexiam. Tentou sentar-se, mas não conseguia nem começar. Fez força para se virar, mexer as mãos, os pés, mas nada aconteceu. Sabia que tinha um corpo, mas que ele estava inanimado como mármore.

Ela ouviu a voz gelada de Calvin.

— O coração dela está tão lento...

A voz do pai.

— Mas ainda bate. Ela está viva.

— Mas pouco.

— No início não achamos batimento nenhum. Achamos que estava morta.

— Sim.

— E depois conseguimos sentir o coração, muito fraco, os batimentos muito distantes um do outro. Depois, ficaram mais fortes. Portanto, tudo que temos a fazer é esperar. — As palavras do pai soaram quebradiças, como se estivessem sendo lascadas de uma pedra de gelo.

Calvin:

— Sim. O senhor tem razão.

Ela queria gritar para eles. *Estou viva! Estou bem viva! Só que fui transformada em pedra.*

Mas ela conseguia falar tanto quanto se mexer.

A voz de Calvin de novo:

— De qualquer modo, o senhor a livrou d'AQUELE. Conseguiu livrar nós dois e não íamos mais resistir. AQUELE é tão poderoso, tão forte que... Afinal, *como* nos livramos, senhor? Como conseguimos durar tanto tempo?

O pai de Meg:

— É porque AQUELE não está acostumado a receber uma negativa. É o único motivo pelo qual eu também não fui absorvido. Em milhares de séculos, nenhuma mente tentou impor-se contra AQUELE, de modo que certos núcleos ficaram debilitados, atrofiados, por pura falta de uso. Mas se vocês não tivessem chegado naquela hora, não sei quanto tempo mais eu teria durado. Eu estava prestes a desistir.

Calvin:

— Oh, não, senhor...

O pai:

— É. Nada mais parecia importante fora descansar, e claro que AQUELE me ofereceu descanso total. Eu quase cheguei à conclusão de que era errado lutar, de que AQUELE tinha razão e de que tudo em que eu acreditava com mais ardor não passava do sonho de um louco. Mas aí você e Meg chegaram até mim, romperam minha prisão, e a esperança e a fé voltaram.

Calvin:

— Senhor... Por que, afinal, estava em Camazotz? Havia algum motivo em especial para ir lá?

O pai, com uma risada gélida:

— A viagem a Camazotz foi um grande acidente. Nunca tive sequer a intenção de sair do nosso sistema solar. Eu estava a caminho de Marte. Mas tesserar é mais complicado do que prevíamos.

Calvin:

— Como foi que AQUELE conseguiu dominar Charles Wallace antes de Meg e de mim?

O pai:

— Pelo que vocês me contaram, foi porque Charles Wallace achou que podia acessar AQUELE deliberadamente e voltar. Ele confiou demais na própria força... Escute! O coração dela está ficando mais forte!

As palavras do pai já não lhe pareciam mais congeladas. Eram suas palavras que se encontravam como gelo, ou os ouvidos dela? Por que ela só ouvia o pai e Calvin? Por que Charles Wallace não falava?

Silêncio. Longo silêncio. Depois, a voz de Calvin de novo:

— Não podemos fazer nada? Não podemos buscar ajuda? Só nos resta ficar esperando?

O pai:

— Não podemos deixá-la, Calvin. Temos que ficar juntos. *Não* podemos ter medo de esperar.

Calvin:

— O senhor quer dizer que fomos muito afoitos? Que nos apressamos em Camazotz, que Charles Wallace se lançou muito rápido, e por isso que ele foi pego?

— Pode ser. Não tenho certeza. Ainda não sei o bastante. O tempo em Camazotz é diferente. Nosso tempo, por mais inadequado que seja, pelo menos é simples. Talvez não seja totalmente unidimensional, pois não é possível ir e voltar na sua linha, só seguir em frente; mas pelo menos é consistente nesta única direção. O tempo em Camazotz parece invertido, voltado contra si. Por isso, não tenho ideia se passei séculos ou apenas minutos preso naquela coluna. — Silêncio por um instante. A voz do pai de Meg voltou. — Acho que estou sentindo a pulsação dela.

Meg não sentia os dedos do pai tocando seu pulso. Ela nem sentia o pulso. Seu corpo ainda era pedra, mas sua mente começava a ser capaz de se movimentar. Ela tentou, desesperadamente, fazer algum tipo de som, algum sinal para os dois, mas nada aconteceu.

As vozes deles retomaram o assunto. Calvin:

— Quanto ao seu projeto. O senhor era o único envolvido?

O pai:

— Não, não. Havia uma meia dúzia de nós trabalhando e ouso dizer que havia mais gente que não conhecíamos. É certo que não éramos o único país investigando essa área. Não é uma ideia de todo nova. Mas nos esforçamos para que, no estrangeiro, ninguém soubesse que estávamos tentando efetivar.

— E o senhor veio a Camazotz sozinho? Ou havia outros?

— Eu vim sozinho. Sabe, Calvin, que não tinha como testar com ratos, macacos, cães. E não fazíamos ideia se ia funcionar ou se haveria desintegração corpórea total. Brincar com o tempo e o espaço é muito perigoso.

— Mas por que o senhor?

— Não fui o primeiro. Tiramos no palitinho e fui o segundo.

— O que aconteceu com o primeiro homem?

— Nós não... Veja! As pálpebras dela se mexeram? — Silêncio. Depois: — Não. Foi só uma sombra.

Mas eu pisquei, Meg tentou lhes dizer. *Tenho certeza. E ouço vocês!* Façam *alguma coisa!*

Mas seguiu-se outro longo silêncio, durante o qual eles talvez estivessem olhando para ela, procurando outra sombra, outra piscadela. Então, ela ouviu a voz do pai de novo, baixa, um pouco mais carinhosa, mas ainda a voz dele.

— Tiramos a sorte no palitinho e fui o segundo. Sabemos que Hank foi. Vimos ele partir. Vimos ele sumir bem na nossa frente. Numa hora estava lá e de repente não estava mais. Tínhamos que esperar um ano até ele voltar ou ter alguma mensagem. Esperamos. Nada.

Calvin disse, com a voz fraquejando:

— Vixe. O senhor deve ter ficado muito aflito.

O pai:

— Fiquei. É tão assustador quanto empolgante descobrir que matéria e energia *são* a mesma coisa, que tamanho é uma ilusão e que o tempo é uma substância material. Temos como entender, mas é muito mais do que podemos compreender com nossos míseros cérebros de ser humano. Acho que você conseguirá compreender bem mais do que eu. E Charles Wallace, ainda mais que você.

— Sim, mas, poderia me contar o que aconteceu depois do primeiro homem?

Meg conseguiu ouvir o suspiro do pai.

— Aí foi minha vez. Eu fui. E aqui estou. Agora um homem mais sábio e mais humilde. Tenho certeza de que não passei dois anos fora. Agora que vocês vieram, tenho alguma esperança de que consiga voltar a tempo. Uma coisa que tenho que dizer aos outros é que não sabemos de nada.

Calvin:

— Como assim, senhor?

O pai:

— Só isso que eu disse. Somos crianças brincando com dinamite. Em nossa corrida insana, já nos lançamos nisto antes...

Com um esforço desesperado, Meg conseguiu emitir um som. Não foi um som muito alto, mas era um som. O Sr. Murry parou.

— Shhh. Ouça.

Meg fez um som estranho, um resmungo. Descobriu que conseguia abrir as pálpebras. Elas pesavam mais que mármore, mas ainda assim ela conseguiu erguê-las. Seu pai e Calvin pairavam sobre ela. Não viu Charles Wallace. Onde ele estava?

Ela estava deitada sobre um campo aberto do que parecia grama baixa e grossa com cor de ferrugem. Piscou, devagar e com dificuldade.

— Meg — disse seu pai. — Meg. Você está bem?

A língua da menina parecia uma pedra mexendo-se dentro da boca, mas ela conseguiu exclamar:

— Não consigo me mexer.

— Tente. — Calvin a incitou. A voz dele transparecia bastante irritação com Meg. — Mexa os dedos dos pés. Os da mão.

— Não dá. Onde está Charles Wallace? — As palavras saíam embotadas pela língua de pedra. Talvez eles não conseguissem entendê-la, pois não houve resposta.

— Também ficamos desacordados por um minuto — disse Calvin. — Você vai ficar bem, Meg. Não entre em pânico. — Ele estava ajoelhado sobre ela e, embora sua voz continuasse zangada, observava-a com a expressão ansiosa. Ela sabia que ainda devia estar de óculos, pois conseguia vê-lo com clareza, suas sardas, as sobrancelhas grossas, o azul-claro dos olhos.

O pai dela estava ajoelhado do outro lado. As lentes redondas dos óculos da Sra. Quem embaçavam seus olhos. Ele pegou uma das mãos de Meg e passou entre as suas.

— Está sentindo meus dedos? — Ele parecia bastante calmo, como se não houvesse nada de extraordinário em ela estar totalmente paralisada. A tranquilidade da voz dele fez com que ela se acalmasse. Então, ela percebeu que havia grandes gotas de suor na testa dele e notou vagamente que a brisa gentil que tocava suas bochechas estava fria. De início, suas palavras estavam congeladas e agora o vento era suave: ali era frio ou quente? — Está sentindo meus dedos? — perguntou ele de novo.

Sim, agora ela sentia uma pressão contra o pulso, mas não conseguia mover a cabeça para dizer que sim.

— Onde está Charles Wallace? — As palavras saíram um pouco menos borradas. Ela começava a sentir a língua e os lábios frios e entorpecidos, como se ela tivesse recebido uma dose imensa de novocaína no dentista. Ela percebeu, com um sobressalto, que seu corpo e membros estavam gelados, que não só ela não estava aquecida, mas que se encontrava congelada da cabeça aos pés, e foi isso que fez as palavras do seu pai parecerem gelo, foi isso que havia paralisado-a.

— Estou congelada... — disse ela, muito baixinho. Em Camazotz não fazia este frio, um frio que entrava mais fundo que o vento do pior dia de inverno em casa. Ela estava longe d'AQUELE, mas esta frieza inexplicável era quase tão ruim quanto. Seu pai não a havia salvo.

Agora ela conseguia olhar ao redor e tudo que via era cinza e desbotado. Havia árvores margeando o campo em que ela estava deitada e suas folhas eram do mesmo tom marrom da grama. Havia plantas que podiam ser flores, mas eram cinzentas e foscas. Em contraste à insipidez das cores, do frio que a entorpecia, o ar era tomado de uma fragrância delicada, primaveril, quase imperceptível ao soprar suave contra seu rosto. Ela olhou para o pai e para Calvin. Os dois estavam em mangas de camisa e pareciam perfeitamente à vontade. Era ela, enrolada nas roupas, que estava congelada e dura demais até para tremer.

— Por que sinto tanto frio? — perguntou ela. — Onde está Charles Wallace? — Eles não responderam. — Pai, onde estamos?

O Sr. Murry olhou para ela com expressão séria.

— Eu não sei, Meg. Eu não sei tesserar direito. Devo ter passado do ponto. Não estamos em Camazotz. Não sei onde estamos. Acho que você está com frio porque atravessamos a Coisa Escura. Por um instante achei que ela ia arrancar você de mim.

— Aqui é um planeta escuro? — Aos poucos a língua dela começou a degelar; as palavras pareceram menos borradas.

— Acho que não — disse o Sr. Murry. — Mas sei tão pouco de tudo que não tenho certeza.

— Então não devia ter tesserado. — Ela nunca havia falado desse jeito com seu pai. As palavras mal pareciam ter saído dela.

Calvin olhou para ela, fazendo uma negativa com a cabeça.

— Era a única coisa que podíamos fazer. Pelo menos nos tirou de Camazotz.

— Mas por que viemos sem Charles Wallace? Deixamos ele lá, simplesmente? — As palavras que não eram dela saíram frias e acusatórias.

— Não, Meg, não "deixamos ele lá, simplesmente" — respondeu-lhe o pai. — Lembre-se de que o cérebro humano é um organismo muito delicado e que pode estragar com facilidade.

— Veja, Meg — Calvin ajoelhou-se ao lado dela, tenso e preocupado —, se seu pai tivesse tentando puxar Charles quando ele nos tesserou, e AQUELE continuasse segurando Charles, poderia ter sido demais para ele. Perderíamos Charles para sempre. E tínhamos que tomar uma decisão rápida.

— Por quê?

— AQUELE iria nos dominar. Eu e você estávamos cedendo e, se seu pai continuasse tentando nos ajudar, ele também não resistiria.

— *Você* disse para ele tesserar, Calvin! — acusou Meg.

— Não é uma questão de culpa — interveio o Sr. Murry, áspero. — Já consegue se mexer?

Todos os defeitos de Meg estavam reforçados nela, e não a ajudavam mais.

— Não! E é melhor que você me leve de volta a Camazotz e a Charles Wallace agora. Era para você nos ajudar! — A frustração era tão nebulosa e corrosiva nela quanto a Coisa Escura. As palavras de ódio desabavam de seus lábios gelados mesmo quando ela não conseguia acreditar que era a seu pai, seu amado e saudoso pai, que ela se dirigia desse modo. Se suas lágrimas não estivessem ainda congeladas, elas derramar-se-iam de seus olhos.

Ela encontrara o pai e ele não havia feito tudo ficar bem. Tudo ficava cada vez pior. Se a longa procura pelo pai havia acabado e ele não conseguira superar todas as dificuldades, não havia garantia de que tudo daria certo no final. Não havia mais por que ter esperança. Ela estava congelada, Charles Wallace estava sendo devorado por AQUELE e seu onipotente pai não fazia nada. Ela oscilou na gangorra de amor e ódio, e a Coisa Escura a empurrava para o ódio.

— Você nem sabe onde estamos! — gritou ela para o pai. — Nós nunca mais veremos a Mãe, nem os gêmeos! Não sabemos onde fica a Terra! Nem onde fica Camazotz! Estamos perdidos no espaço! O que você vai *fazer*? — Ela não percebeu que estava tão dominada pela Coisa Escura quanto Charles Wallace.

O Sr. Murry curvou-se sobre ela, massageando os dedos gelados da filha. Ela não via seu rosto.

— Minha filha, eu não sou uma Sra. Quequeé, uma Sra. Quem, nem uma Sra. Qual. Sim, Calvin me contou tudo que podia. Sou um ser humano e posso cometer erros. Mas concordo com Calvin. Fomos enviados para cá por um motivo. E sabemos que tudo segue o caminho do bem àqueles que amam Deus, àqueles que são chamados conforme o propósito Dele.

— A Coisa Escura! — gritou Meg com ele. — Por que você quase deixou ela me pegar?

— Você nunca tesserou tão bem quanto nós — Calvin a lembrou. — Charles e eu nunca ficamos tão incomodados com isso quanto você.

— Então, até aprender a fazer direito, ele não deveria ter me trazido — disse Meg.

Nem o pai, nem Calvin responderam. O pai de Meg continuou a fazer sua massagem. Os dedos dela começaram a voltar, formigando.

— Está me machucando!

— Então você voltou a sentir — disse o pai, com suavidade. — Sinto muito, Meg, mas isso *vai* doer.

A dor lancinante subiu lentamente pelos braços dela, começando por dedos e pernas. Ela começou a gritar com o pai quando Calvin exclamou:

— Vejam.

Andando em silêncio pela grama amarronzada, três figuras vinham na direção deles.

Quem seriam?

Em Uriel, eles haviam visto criaturas magníficas. Em Camazotz, os habitantes ao menos pareciam gente. O que seriam estas três criaturas estranhas que vinham chegando?

Eram do mesmo tom cinzento das flores. Se não caminhassem eretas, pareceriam bichos. Vinham em direção aos três seres humanos. Tinham quatro braços e bem mais que cinco dedos em cada mão. E os dedos não eram dedos, mas longos tentáculos se balançando. Elas tinham cabeças, tinham rostos. Mas enquanto os rostos das criaturas de Uriel haviam parecido mais que humanos, estes pareciam menos. Onde deveriam estar as feições haviam várias reentrâncias e, no lugar de orelhas e cabelo, havia mais tentáculos. Quando as criaturas se aproximaram, Meg percebeu que eram altas, bem mais altas que qualquer ser humano. Não tinham olhos. Apenas as suaves reentrâncias.

O corpo rígido e congelado de Meg tentou estremecer de terror. Mas, em vez do estremecer, tudo que veio foi dor. Ela gemeu.

As Coisas pairaram sobre eles. Pareciam olhar para o trio humano, embora não tivessem olhos para enxergar. O Sr. Murry continuou ajoelhado perto de Meg, fazendo massagem na filha.

Quando nos trouxe aqui, ele nos matou, pensou Meg. *Nunca mais vou ver Charles Wallace, nem a Mãe, nem os gêmeos*

Calvin pôs-se de pé. Fez uma mesura para as criaturas, como se elas pudessem vê-lo. Disse:

— Como está, senhor... senhora...?

— Quem é você? — disse a mais alta das criaturas. Sua voz não era nem hostil, nem receptiva, e não vinha da reentrância que parecia uma boca no rosto peludo, mas sim dos tentáculos flutuantes.

Elas vão nos devorar, pensava Meg, insanamente. *Elas estão me dando dor. Meus pés, meus dedos... dói tudo*

Calvin respondeu à pergunta da criatura.

— Nós... nós somos da Terra. Não sei bem como chegamos aqui. Tivemos um acidente. Meg, esta menina, ela... ela ficou paralisada. Não consegue se mexer. Está com muito frio. Achamos que é por isso que ela não consegue se mexer.

Uma delas chegou perto de Meg e agachou-se sobre as imensas ancas traseiras. Ela sentiu pura repugnância quando a coisa estendeu um tentáculo para tocar seu rosto.

Mas, com o tentáculo, veio a mesma fragrância delicada que passava sobre ela com a brisa. Ela sentiu um calor suave, formigante, por todo o corpo, que momentaneamente aplacou sua dor. De repente, também sentiu sono.

Eu devo parecer tão estranha a ela quando ela a mim, pensou ela, sonolenta, e então percebeu, em choque, que era óbvio que a criatura não conseguia enxergá-la. Independente disso, uma sensação reconfortante fluiu por Meg com o calor que continuava a penetrar fundo conforme a criatura a tocava. Então a coisa a levantou, embalando-a em dois dos quatro braços.

O Sr. Murry levantou-se de imediato.

— O que está fazendo?

— Levando a criança.

11

Tia Criatura

— Não! — disse o Sr. Murry, feroz. — Soltem-na, por favor.

Das criaturas, parecia emanar uma sensação de indiferença. A mais alta, que parecia ser a porta-voz, disse:

— Assustamos você?

— O que vão fazer conosco? — perguntou o Sr. Murry.

A criatura disse:

— Desculpe, comunicamo-nos melhor com o outro. — Ela virou-se para Calvin. — Quem é você?

— Eu sou Calvin O'Keefe.

— O que é isso?

— Sou um menino. Um, hã, jovem.

— E você também tem medo?

— Eu... não sei.

— Diga-me — disse a criatura. — O que você imagina que faria caso três de *nós* chegássemos repentinamente ao seu planeta natal?

— Acho que atiraria em vocês — admitiu Calvin.

— Então é isto que deveríamos fazer com vocês três?

Foi como se as sardas de Calvin afundassem no seu rosto, mas ele respondeu com calma.

— Eu gostaria muito que não. Quer dizer, a Terra é meu lar, e eu preferia estar lá do que em qualquer outro lugar do mundo, quer dizer, do universo, e mal posso esperar para voltar. Mas, lá, é comum cometermos umas gafes terríveis.

A criatura menor, a que segurava Meg, disse:

— E talvez eles não estejam acostumados com visitantes de outros planetas.

— Acostumados! — exclamou Calvin. — Nunca recebemos ninguém, até onde eu sei.

— Por quê?

— Não sei.

A criatura do meio falou com palavras que saíam trepidantes:

— Vocês não são de um planeta escuro, são?

— Não. — Calvin fez um não firme com a cabeça, embora a criatura não conseguisse enxergá-lo. — A sombra... a sombra nos encobriu. Mas estamos combatendo-a.

A criatura que segurava Meg questionou:

— Vocês três combatem?

— Sim — respondeu Calvin. — Agora que sabemos que ela existe.

A mais alta voltou-se para o Sr. Murry, falando sério.

— Você. O mais velho. Homem. De onde veio? Agora.

Sr. Murry respondeu com firmeza.

— De um planeta chamado Camazotz. — Ouviu-se murmúrios entre as três criaturas. — Não somos de lá — disse o Sr. Murry, devagar e distinto. — Somos tão estrangeiros lá quanto aqui. Fui prisioneiro em Camazotz e essas crianças me resgataram. Meu filho mais novo, meu bebê, continua lá, preso na mente tenebrosa d'AQUELE.

Meg tentou se revirar nos braços da criatura para dar uma encarada no pai e em Calvin. Por que eles tinham que ser tão sinceros? Não sabiam dos perigos? Mas sua raiva se perdeu mais uma vez no calor aconchegante dos tentáculos que fluíam por seu corpo. Meg percebeu que já conseguia mexer os dedos das mãos e dos pés com liberdade e que a dor não estava tão forte.

— Temos que levar a criança conosco — disse a criatura que a segurava.

Meg gritou para o pai.

— Não me deixem para trás, como fizeram com Charles! — Com esta explosão de terror, um espasmo de dor sacudiu seu corpo e ela perdeu o fôlego.

— Pare de se debater — disse-lhe a criatura. — Você piora sua situação. Relaxe.

— Foi isso o que AQUELE disse — gritou Meg. — Pai! Calvin! Socorro!

A criatura virou-se para Calvin e para o Sr. Murry.

— Esta criança corre perigo. Confiem em nós.

— Não temos alternativa — disse o Sr. Murry. — Vocês têm como salvá-la?

— Creio que sim.

— Posso ficar com ela?

— Não. Mas vocês não ficarão distantes. Sentimos que estão com fome, cansados, que precisam banhar-se e descansar. E esta pequena... qual é a palavra? — perguntou a criatura, inclinando os tentáculos para Calvin.

— Garota — disse Calvin.

— Esta pequena garota necessita de atenção imediata e especial. O frio da... como vocês a chamam?

— A Coisa Escura?

— A Coisa Escura. Sim. A Coisa Escura queima, caso não seja contra-atacada da maneira devida. — As três criaturas ficaram ao redor de Meg. Parecia que estavam sentindo-a com os tentáculos ondulantes e delicados. O movimento dos tentáculos era rítmico e fluido como a dança de uma planta subaquática. Deitada ali, embalada por quatro braços estranhos, Meg teve uma sensação involuntária de segurança que era mais intensa que tudo que ela conhecia desde os tempos em que deitava nos braços da mãe na antiga cadeira de balanço e ouvia uma cantiga até dormir. Com a ajuda do pai, ela conseguira resistir ÀQUELE. Agora, não conseguia mais se conter. Ela encostou a cabeça no peito da criatura e percebeu que o corpo cinzento era coberto com o pelo mais macio e delicado que se pode imaginar, e tinha o mesmo cheiro maravilhoso que sentia no ar.

Espero que ela não ache que eu tenho cheiro ruim, pensou Meg. Mas logo lhe veio uma forte sensação de aconchego, de que, mesmo se ela fosse fedorenta, as criaturas a perdoariam. Conforme a figura alta a embalava, ela sentia a rigidez gélida do corpo cedendo. Esta alegria não poderia vir de uma coisa como AQUELE. AQUELE poderia lhe dar dor, nunca alívio. As criaturas deviam ser seres de bem. Tinham que ser. Ela suspirou fundo, como uma criancinha e, de repente, pegou no sono.

Quando voltou a si, no fundo da sua mente havia uma lembrança da dor, de uma dor agonizante. Mas a dor já tinha se encerrado e seu corpo sentia ondas de aconchego. Ela estava deitada sobre algo maravilhosamente suave em uma câmara fechada. Estava escuro. Tudo que ela conseguia ver eram sombras altas e ocasionais se mexendo, as quais ela percebeu serem criaturas caminhando ali perto. Alguém havia tirado suas roupas e havia algo quente e penetrante que sendo passado com carinho no seu corpo. Ela suspirou, se esticou e descobriu que *conseguia* se esticar. Conseguia se mexer de novo, não estava mais paralisada e seu corpo era banhado por ondas de calor. Não fora o pai que a salvara, mas sim as criaturas.

— Então está acordada, pequena? — As palavras chegaram com delicadeza a seus ouvidos. — Que larvinha engraçada, você! A dor já passou?

— Passou tudo.

— Voltou a ser quente e viva?

— Sim, estou bem. — Ela fez força para se levantar.

— Não, pequena, continue deitada e quieta. Não pode exceder-se. Daqui a pouco lhe traremos um traje de peles e depois vamos alimentá-la. Você não deve nem tentar se alimentar por conta própria. Deve voltar a ser tratada como bebê. Não é comum que a Coisa Escura abra mão de suas vítimas.

— Onde estão o Pai e Calvin? Eles voltaram para buscar Charles Wallace?

— Estão alimentando-se e descansando — disse a criatura. — Estamos tentando aprender uns com os outros e ver qual seria o melhor jeito para ajudá-los. Agora sabemos que vocês não são perigosos e que poderemos cooperar.

— Por que aqui é tão escuro? — perguntou Meg. Ela tentou olhar ao redor, mas só conseguia enxergar sombras. Independente disso, havia uma sensação de abertura, uma leve brisa que passava delicadamente, que não deixava as trevas tornarem-se opressivas.

A criatura lhe transmitiu perplexidade.

— O que seria este escuro de que falam? O que seria luz? Não entendemos. Seu pai e o garoto, Calvin, também nos fizeram esta pergunta. Dizem que agora é noite no nosso planeta e que eles não conseguem enxergar. Disseram que nossa atmosfera é o que eles chamam de opaca, de modo que as estrelas não são visíveis, e que ficaram surpresos que nós conheçamos as estrelas, que saibamos de sua música e dos movimentos de sua dança bem mais do que seres como vocês, que passam horas estudando-as através do que chamam de telescópio. Não entendemos o que significa este *ver*.

— Bom, tem relação com a aparência das coisas — disse Meg, sem saber o que falar.

— Não sabemos, como você diz, da *aparência* das coisas — respondeu a criatura. — Sabemos como as coisas *são*. Imagino que seja muito limitante este *ver*.

— Ah, não! — exaltou-se Meg. — É a coisa mais maravilhosa do mundo!

— Que mundo estranho deve ser o seu! — disse a criatura. — Um em que uma coisa que parece tão peculiar seja de tamanha importância. Tente me explicar o que é essa coisa chamada *luz* e como fazem tão pouco sem sua presença?

— Bom, não temos como ver sem luz — disse Meg, percebendo que era incompetente para explicar a visão, a luz e o escuro. Como explicar a visão em um mundo onde ninguém nunca enxergou e onde não há necessidade de olhos? — Bom, neste planeta... — ela se remexeu — vocês têm sol, não têm?

— Um sol maravilhoso, do qual vem nosso calor e os raios que nos dão nossas flores, nossa comida, nossa música, e todas as coisas que têm vida e crescem.

— Bom — disse Meg —, quando nos voltamos para o sol, quer dizer, quando nossa terra, nosso planeta, se volta para o sol, nós recebemos luz. E quando nós ficamos contra o sol, fica noite. E aí, se quisermos enxergar, precisamos de luz artificial.

— Luz artificial — suspirou a criatura. — Como deve ser complicada a vida no seu planeta. Mais tarde você pode me explicar mais.

— Tudo bem — prometeu Meg, sabendo que tentar explicar algo que podia ser visto com os olhos seria impossível, pois as criaturas de algum modo viam, sabiam, entendiam muito mais que ela, os pais, Calvin e até Charles Wallace.

— Charles Wallace! — gritou ela. — O que estão fazendo a respeito de Charles Wallace? Não sabemos o que AQUELE está fazendo com ele ou obrigando-o a fazer. Por favor, oh, por favor, nos ajudem!

— Sim, sim, pequena, é claro que vamos ajudá-los. Foi convocada uma plenária para decidir a melhor atitude. Nunca aconteceu de podermos conversar com alguém que houvesse fugido de um planeta escuro. Embora seu pai esteja culpando-se por tudo que aconteceu, sentimos que ele já é uma pessoa extraordinária por ter conseguido sair de Camazotz com vocês dois. Mas o garotinho, que entendo ser uma pessoa muito especial, um garotinho muito importante... ah, minha criança, você precisa aceitar que não será fácil. *Voltar*, atravessando a Coisa Escura, *voltar* a Camazotz... não sei. Não sei.

— Mas o Pai o deixou para trás! — disse Meg. — Ele tem que trazê-lo de volta! Ele não pode abandonar Charles Wallace!

A comunicação da criatura de repente ficou mais nítida.

— Ninguém falou em abandonar. Não é assim que agimos. Mas sabemos que o fato de querer algo não significa que vamos conseguir, e ainda não sabemos *o que* fazer. E não podemos permitir que você, no seu estado atual, faça algo que comprometa todos nós. Percebo que você deseja que seu pai volte depressa a Camazotz, e talvez você consiga convencê-lo. Mas, aí, o que seria de nós? Não. Não. Você tem que esperar até estar mais calma. Agora, minha cara, tome um manto para sentir-se mais quente e confortável. — Meg sentiu-se erguida de novo e foi envolvida por uma vestimenta leve e suave. — Não se preocupe com seu irmãozinho. — As palavras musicais dos tentáculos chegavam a ela com suavidade. — Nós *nunca* o deixaríamos atrás da sombra. Mas, por enquanto, você precisa relaxar, precisa ficar contente e precisa ficar bem.

As palavras gentis, a sensação de que esta criatura conseguiria amá-la independente do que falasse ou fizesse, transmitiram ondas de calor e paz a Meg. Ela sentiu um tentáculo delicado na bochecha, macio como um beijo de mãe.

— Já faz tanto tempo desde que minhas pequenas cresceram e partiram — disse a criatura. — Você é tão pequena, tão vulnerável. Agora vou alimentá-la. Você tem que comer devagar e com calma. Sei que está faminta, que faz tempo que não tem comida, mas não pode apressar as coisas se deseja ficar bem.

Algo indescritível de tão delicioso foi levado aos lábios de Meg, e ela engoliu com gratidão. A cada vez que engolia, ela sentia a força voltando a seu corpo. Percebeu que não comera nada desde o terrível peru falso em Camazotz, que mal havia provado. Quanto tempo fazia desde o ensopado da sua mãe? O tempo não tinha mais sentido.

— Quanto tempo a noite dura aqui? — balbuciou ela, com sono. — Vai voltar a ser dia, não vai?

— Shhhh — disse a criatura. — Coma, pequena. Durante a frieza, em que estamos agora, nós dormimos. Quando você acordar, haverá calor de novo e muito a se fazer. Agora você deve comer e dormir. Ficarei aqui com você.

— Como devo chamar a senhora? — perguntou Meg.

— Ora, vejamos. Primeiro, tente não usar as palavras, só por um instante. Pense dentro da sua mente. Pense em todas as pessoas que você chama por nomes distintos.

Enquanto Meg pensava, a criatura balbuciava lentamente.

— Não, *mãe* é especial, é um nome; e um pai você tem aqui. Não só amiga, nem professora, nem irmão ou irmã. O que é uma *conhecida*? Que palavra estranha, tão dura. Tia. É possível. Sim, talvez sirva. E você associa palavras tão estranhas a mim. *Coisa, monstro! Monstro*, que palavra horrenda. Não creio que eu seja uma monstra. *Criatura*. Parece-me boa. *Tia Criatura*.

— Tia Criatura — murmurou Meg, sonolenta, e riu.

— Eu disse algo engraçado? — perguntou Tia Criatura, surpresa. — Tia Criatura não é bom?

— Tia Criatura é muito bonito — disse Meg. — Por favor, Tia Criatura, cante para mim.

Se já era impossível descrever a visão à Tia Criatura, mais impossível ainda seria descrever a canção de Tia Criatura a um ser humano. Era uma música ainda mais magnífica que a música das criaturas cantoras de Uriel. Era uma música mais tangível que a forma ou a visão. Tinha essência, tinha estrutura. Ela embalava Meg com mais firmeza que os braços de Tia Criatura. Parecia viajar com ela, transportá-la às alturas com seu poder musical, de tal forma que ela se sentia transitando em glória entre as estrelas. Por um instante, ela também sentiu que as palavras Trevas e Luz não tinham mais sentido, e que apenas esta melodia era real.

Meg não se lembrava de quando caiu no sono dentro da música. Quando acordou, Tia Criatura também estava dormindo, a suavidade de sua cabeça peluda e sem rosto recostada. A noite havia passado e uma luz cinzenta tomava o quarto. Mas ela percebia agora que aqui, neste planeta, não havia necessidade de cor, que os cinzas e marrons que se mesclavam não eram o que as criaturas conheciam, e que o que ela, Meg, via era apenas a menor das frações do que o planeta de fato era. Ela que era limitada pelos sentidos, e não as criaturas, cegas, pois elas deviam ter sentidos com os quais ela não conseguia nem sonhar.

Ela se mexeu apenas um pouco, e Tia Criatura inclinou-se sobre ela de imediato.

— Que sono agradável, minha querida. Sente-se bem?

— Eu me sinto ótima — disse Meg. — Tia Criatura, como se chama este planeta?

— Ah, querida — suspirou Tia Criatura. — Não é fácil para mim colocar as coisas nos termos que sua mente molda. Aquele do qual vocês vieram, vocês chamam de Camazotz?

— Bom, é de onde nós viemos, mas não é nosso planeta.

— Acho que você poderia nos chamar de Ixchel — disse Tia Criatura. — Compartilhamos o sol com Camazotz. Mas ainda bem que é apenas isto que compartilhamos.

— Vocês combatem a Coisa Escura? — perguntou Meg.

— Ah, sim! — respondeu Tia Criatura. — Isto nunca podemos deixar de fazer. Somos os convocados conforme o propósito Dele, e quem Ele chama, Ele também investe. Claro que temos ajuda, e sem ajuda seria muito mais difícil.

— Quem ajuda vocês? — quis saber Meg.

— Ah, é tão difícil explicar, pequena. E agora sei que não é apenas por você ser criança. É tão difícil explicar aos outros dois quanto a você. O que posso dizer que lhe terá significado? O bem nos ajuda, as estrelas nos ajudam, talvez aquilo que você chama de *luz* nos ajuda, o amor nos ajuda. Ah, minha criança, não sei explicar! É daquelas coisas que ou você entende, ou não entende.

— Mas...

— Não olhamos para as coisas que você chama de visíveis, mas para as coisas que não se vê. As coisas que são vistas são temporais. As coisas que não são vistas são eternas.

— Tia Criatura, a senhora conhece a Sra. Quequeé? — perguntou Meg, com um jorro repentino de esperança.

— A Sra. Quequeé? — Tia Criatura estava confusa. — Ah, criança, sua linguagem é tão simples e limitada que o efeito é de extrema complicação. — Os quatro braços dela, com os

tentáculos a menear, estavam esticados em um gesto de desamparo. — Gostaria que eu a levasse a seu pai e seu Calvin?
— Ah, sim, por favor!
— Então, vamos. Eles estão esperando por você, para fazerem planos. E pensamos que você gostaria de comer... como dizem mesmo? Ah, sim, café da manhã juntos. Você passará calor com estas peles. Vou lhe dar um traje mais leve e então vamos.

Como se Meg fosse um bebê, Tia Criatura lhe deu banho e a vestiu. O novo traje, embora fosse feito de um pelo claro, era mais leve que as roupas mais leves de verão na Terra. Tia Criatura pôs um tentáculo sobre a cintura de Meg e a conduziu por corredores compridos e escuros, nos quais ela só conseguia ver sombras e sombras de sombras, até que elas chegaram a uma câmara ampla e colunada. Feixes de luz entravam pela claraboia aberta e convergiam sobre uma imensa mesa de pedra redonda. Ali estavam sentadas várias das grandes criaturas, além de Calvin e do Sr. Murry, em um banco de pedra que circundava a mesa. Como o banco era feito para as criaturas altas, os pés do Sr. Murry não tocavam o chão e as pernas compridas do esguio Calvin ficavam balançando como se ele fosse Charles Wallace. O salão era parcialmente delimitado por arcos que levavam a longas galerias ladrilhadas. Não havia paredes vazias, não havia telhado, de forma que, embora a luz fosse fraca em comparação à luz solar na Terra, Meg não tinha sensação de escuro nem de frio. Enquanto Tia Criatura conduzia Meg, o Sr. Murry pulou do banco e correu até ela, abraçando-a com muito carinho.

— Elas nos juraram que você estava bem — disse ele.

Enquanto estava nos braços de Tia Criatura, Meg sentira-se segura. Agora, sua preocupação com Charles Wallace e a frustração com a falibilidade humana do pai davam um aperto na sua garganta.

— E estou — resmungou ela, sem olhar para Calvin ou para o pai, mas sim para as criaturas. Era a elas que agora ela se voltava para buscar ajuda. Para Meg, parecia que nem o pai, nem Calvin estavam devidamente preocupados com Charles Wallace.

— Meg! — falou Calvin, com jovialidade. — Você nunca provou uma coisa assim! Venha comer!

Tia Criatura ergueu Meg até o banco, sentou-se ao lado dela e empilhou a comida sobre um prato: frutas estranhas e pães estranhos, diferentes de tudo que Meg já havia comido. Tudo era sem cor e opaco e não estimulava o apetite pelo visual. De início, mesmo ao se lembrar da refeição que Tia Criatura lhe dera na noite anterior, Meg hesitou em provar. Mas, assim que absorveu a primeira mordida, começou a comer com avidez; parecia que ela nunca mais ia encher a barriga de novo.

Os outros ficaram esperando até que ela comesse mais devagar. Então, o Sr. Murry disse, muito sério:

— Estamos tentando armar um plano para resgatar Charles Wallace. Como cometi esse erro em tesserar d'AQUELE, achamos que não seria sagaz tentar voltar a Camazotz, mesmo que eu fosse sozinho. Se eu errasse o cálculo de novo, poderia me perder e vagar para sempre de galáxia em galáxia, o que não ajudaria ninguém em nada, tanto menos Charles Wallace.

Uma onda de desânimo se abateu sobre Meg, com tamanha força que ela não conseguiu mais comer.

— Nossas amigas aqui — prosseguiu ele — acham que foram os óculos da Sra. Quem que me mantiveram neste sistema solar. Aqui estão eles, Meg. Temo que já tenham perdido suas virtudes e sejam apenas óculos. Talvez a função deles fosse ajudar apenas uma vez e apenas em Camazotz. Talvez tenham perdido a função quando atravessamos a Coisa Escura. — Ele empurrou os óculos a ela pela mesa.

— Essas pessoas sabem tudo sobre tesserar. — Calvin apontou para o círculo de grandes criaturas. — Mas elas não podem fazer isso para ir a um planeta escuro.

— Tentaram chamar a Sra. Quequeé? — perguntou Meg.

— Ainda não — respondeu o pai.

— Mas se vocês não pensaram em outra coisa, é a *única* solução! Pai, você não dá a mínima para Charles?

Diante daquilo, Tia Criatura se levantou e falou em tom de reprovação:

— Criança!

O Sr. Murry não respondeu. Meg percebeu que havia magoado profundamente o pai; reagiu como teria reagido ao Sr. Jenkins. Ela voltou sua carranca para a mesa, dizendo:

— Nós *temos* que pedir a ajuda delas agora. Se acham que não, vocês são burros.

Tia Criatura falou aos outros.

— Esta criança está perturbada. Não a julguem de imediato. Ela quase foi tragada pela Coisa Escura. Às vezes não sabemos do prejuízo espiritual que a Coisa deixa, mesmo após a recuperação física total.

Meg olhou para todos à mesa com irritação. As criaturas estavam sentadas, em silêncio, sem se mexer. Ela sentiu que estava sendo julgada e que deixava a desejar.

Calvin afastou-se dela e debruçou-se.

— Não lhe ocorreu que estávamos tentando contar às criaturas a respeito das senhoras? Você acha que passamos esse tempo todo fazendo o quê? Só enchendo o bucho? Certo, agora é a sua vez de tentar.

— Sim. Tente, criança. — Tia Criatura sentou-se de novo e puxou Meg para seu lado. — Mas não entendo esta sensação de ira que percebo em sua pessoa. O que é? Sinto culpa, reprovação. Por quê?

— Você não sabe, Tia Criatura?

— Não — respondeu Tia Criatura. — Mas isto não me diz nada sobre quem seriam estas que você quer que conheçamos. Tente.

Meg tentou. Estava desajeitada. Atrapalhada. De início ela descreveu a Sra. Quequeé e seu sobretudo mais os lenços e cachecóis multicoloridos. A Sra. Quem e seus mantos brancos e os óculos tremeluzentes, a Sra. Qual com seu chapéu pontudo, o vestido negro que aparecia e sumia com o corpo. Então ela percebeu que aquilo era um absurdo. Ela estava descrevendo apenas para si. Aquelas não eram a Sra. Quequeé, a Sra. Quem ou a Sra. Qual. Ela poderia ter descrito a Sra. Quequeé tal como ficou quando assumiu a forma da criatura voadora em Uriel.

— Não tente usar palavras — disse Tia Criatura, com toda calma. — Você só luta com você mesma e comigo. Pense no que elas *são*. Este *visual* não nos ajuda em nada.

Meg tentou de novo, mas não conseguia tirar o conceito visual da cabeça. Tentou pensar na Sra. Quequeé explicando o tesserar. Tentou em termos matemáticos. Vez por outra ela achava que percebia um rastro de compreensão vindo da Tia Criatura ou de alguma das outras. Mas, na maior parte, tudo que emanava delas era um delicado embaralhamento.

— Anjas! — gritou Calvin de repente, do outro lado da mesa. — Anjas da guarda! — Houve um instante de silêncio e ele gritou de novo, o rosto tenso de concentração. — Mensageiras! Mensageiras de Deus!

— Por um instante eu pensei... — começou Tia Criatura a falar, depois parou, suspirando. — Não, não está claro.

— Como é estranho eles não saberem dizer o que aparentemente sabem — cochichou uma criatura alta e esguia.

Um dos tentáculos de Tia Criatura circundou a cintura de Meg mais uma vez.

— Eles são muito jovens. E, na terra, como eles chamam o planeta deles, nunca se comunicam com outros planetas. Eles giram solitários no espaço.

— Ah — disse a criatura esguia. — Eles são *solitários?*

De repente, uma voz trovejante reverberou pelo grande salão:

— CCHEGGAMOSS!

12

Os Tolos e os Fracos

Meg não conseguia enxergar nada, mas sentiu o coração pulsar de esperança. Em sintonia perfeita, todas as criaturas puseram-se de pé, viraram-se para uma das aberturas em arco e baixaram cabeças e tentáculos para saudar as recém-chegadas. A Sra. Quequeé apareceu entre duas colunas. Ao lado dela surgiu a Sra. Quem e, atrás das duas, uma luz vibrante. As três não eram exatamente as mesmas de quando Meg as vira pela primeira vez. Seus contornos pareciam borrados; as cores misturavam-se, como se fossem aquarelas. Mas lá estavam; eram identificáveis; eram elas.

Meg desencostou de Tia Criatura, pulou ao chão e correu até a Sra. Quequeé. Mas a Sra. Quequeé ergueu a mão, em pose de alerta, e Meg percebeu que ela não estava totalmente materializada, que era luz, e não substância. Abraçá-la naquele momento seria como tentar abraçar um raio de sol.

— Tivemos que nos apressar, por isso não houve tempo... Você nos queria? — perguntou a Sra. Quequeé.

A maior das criaturas fez uma mesura de novo e deu um passo, afastando-se da mesa na direção da Sra. Quequeé.

— É uma questão relativa ao garotinho.

— O Pai deixou ele pra trás! — gritou Meg. — Em Camazotz!

A voz da Sra. Quequeé veio espantosamente fria.

— E o que você espera que nós façamos?

Meg apertou as juntas dos dedos contra os dentes de modo que o aparelho marcou a pele. Então, jogou os braços para cima, em pose de quem implora.

— Mas é Charles Wallace! AQUELE está com ele, Sra. Quequeé! Salve-o, por favor, salve-o!

— Você sabe que não podemos fazer nada em Camazotz — disse a Sra. Quequeé, ainda com a voz gélida.

— Quer dizer que vão deixar Charles ficar nas mãos d'AQUELE para sempre? — A voz de Meg se elevou na estridência.

— Eu disse isso?

— Mas não temos o que fazer! As senhoras sabem! Nós tentamos! A senhora tem que salvá-lo, Sra. Quequeé!

— Meg, não é assim que agimos — falou Sra. Quequeé, em tom de tristeza. — Achei que entendia que não é assim que agimos.

O Sr. Murry deu um passo à frente, fez uma mesura e, para a surpresa de Meg, as três senhoras também lhe fizeram mesuras.

— Creio que não fomos apresentados — disse a Sra. Quequeé.

— É o Pai, vocês sabem que é o Pai. — A impaciência e a raiva de Meg cresciam. — Pai: Sra. Quequeé, Sra. Quem e Sra. Qual.

— Fico muito contente em… — balbuciou o Sr. Murry, depois prosseguiu. — Desculpem, meus óculos quebraram e não enxergo muito bem.

— Não é necessário nos ver — disse a Sra. Quequeé.

— Se as senhoras pudessem me ensinar mais sobre o tesserato, para eu poder voltar a Camazotz...

— Eenttãão o qquêê? — A voz da Sra. Qual surgiu de surpresa.

— Eu tentarei tirar meu filho d'AQUELE.

— Eee vvoccêê ssabee qquue nããoo teeráá êêêxittoo?

— Só nos resta tentar.

A Sra. Quequeé falou delicadamente.

— Desculpe. Não podemos deixar que vá.

— Então deixem que eu vá — sugeriu Calvin. — Eu quase consegui salvar Charles.

A Sra. Quequeé fez que não.

— Não, Calvin. Charles está ainda dominado por AQUELE. Você não tem autorização para perder-se lá com ele, pois deve saber que é isto que aconteceria.

Seguiu-se longo silêncio. Todos os raios suaves que entravam filtrados pelo grande salão pareciam concentrar-se na Sra. Quequeé, na Sra. Quem e na fraca luz que devia ser a Sra. Qual. Ninguém falava. Uma das criaturas mexia um tentáculo lentamente, para a frente e para trás em cima da mesa de pedra. Enfim, Meg não aguentou mais e gritou de desespero:

— Então vocês vão fazer o quê? Vão simplesmente jogar Charles fora?

A voz da Sra. Qual ressoou pelo salão.

— Ssilêênccio, ccriiannçça!

Mas Meg não conseguia ficar em silêncio. Ela chegou mais perto de Tia Criatura, mas esta não lhe cedeu os tentáculos protetores.

— *Eu* não posso ir! — gritou Meg. — Não posso! Vocês sabem que eu não posso!

— Ee allgguéémm llhhe ppeddiiiu paaarrrraa fffaazzerr isssoo? — A voz sinistra fez a pele de Meg eriçar-se.

Ela debulhou-se em lágrimas. Começou a bater na Tia Criatura, como se fosse uma criança birrenta. Suas lágrimas escorreram pelo rosto e mancharam o pelo da Tia Criatura, que ficou estática durante todo o acesso.

— Tudo bem, eu vou! — disse Meg, entre os soluços. — Eu sei que é isso que vocês querem!

— Não queremos nada que você não faça de bom grado — disse a Sra. Quequeé. — Ou que faça sem entendimento.

As lágrimas de Meg cessaram de maneira tão abrupta quanto começaram.

— Mas eu entendo. — Ela sentiu cansaço e uma paz inesperada. Aquela frieza que, sob os cuidados de Tia Criatura, havia deixado seu corpo agora também partira de sua mente. Ela olhou para o pai e sua raiva se foi. Ela sentia apenas amor e orgulho. Sorriu para ele, pedindo perdão, e depois aconchegou-se de novo em Tia Criatura. Desta vez o braço da Tia a acolheu.

A voz da Sra. Qual ficou mais aguda.

— Ooo qquee vvoccêê ennttennddeuu?

— Que tem que ser eu. Não pode ser outra pessoa. Eu não entendo Charles, mas ele me entende. Eu sou a pessoa mais próxima dele. O Pai está longe há muito tempo, desde que Charles Wallace era bebê. Eles não se conhecem. E Calvin conhece Charles há pouquíssimo tempo. Se eles se conhecessem há mais tempo, ele seria a pessoa certa, mas... ah, eu sei, eu já sei, eu entendi que tem que ser eu. Não existe outra pessoa.

O Sr. Murry, que estava sentado, com os cotovelos repousando sobre os joelhos, com o queixo pousado nos punhos, se levantou.

— Não vou deixar!

— Pporr qquuê? — quis saber a Sra. Qual.

— Vejam bem: não sei o que ou quem as senhoras são e, no momento, não me interesso em saber. Não vou deixar que minha filha encare esse perigo sozinha.

— Pporr qquuê?

— As senhoras não sabem o que vai acontecer! E ela está fraca, mais fraca do que antes. Quase foi morta pela Coisa Escura. Não consigo entender como consideram uma possibilidade como essa.

Calvin deu um pulo para descer da cadeira.

— Talvez AQUELE tenha razão! Ou, quem sabe, as senhoras estejam mancomunadas com AQUELE. Se alguém tem que ir, sou *eu*! Por que me trouxeram aqui? Para cuidar de Meg! As senhoras mesmas que disseram!

— Mas foi o que você fez — certificou a Sra. Quequeé.

— Eu não fiz nada! — gritou Calvin. — Não podem mandar Meg! Não vou deixar! Vou ser firme! Não vou deixar!

— Não percebe que está dificultando ainda mais o que já é difícil para Meg? — perguntou-lhe a Sra. Quequeé.

Tia Criatura voltou os tentáculos para a Sra. Quequeé.

— Ela teria força para tesserar mais uma vez? As senhoras sabem pelo que ela passou.

— Se Qual levá-la, ela consegue — disse a Sra. Quequeé.

— Se ajudar, posso ir junto e abraçá-la. — O braço de Tia Criatura em volta de Meg a apertou mais.

— Ah, Tia Criatura... — Meg começou a falar.

Mas a Sra. Quequeé a interrompeu.

— Não.

— Era o que eu temia — disse Tia Criatura, submissa. — Só queria que soubessem que eu *iria*.

— Sra., hã, Quequeé. — O Sr. Murry franziu o cenho e afastou o cabelo do rosto. Depois colocou o dedo médio no nariz, como se estivesse tentando aproximar os óculos dos olhos. — A senhora se esqueceu de que ela é só uma criança?

— E uma lerda! — berrou Calvin.

— Essa doeu — respondeu Meg, com raiva, esperando que a indignação controlasse sua tremedeira. — Sou melhor do que você em matemática, e você sabe!

— Você tem coragem para ir sozinha? — perguntou-lhe a Sra. Quequeé.

A voz de Meg foi decidida.

— Não. Mas não importa. — Ela virou-se para o pai e Calvin. — Vocês sabem que é o único jeito. Vocês sabem que nunca me mandariam sozinha se...

— Como saber se elas não estão mancomunadas com AQUELE? — perguntou o Sr. Murry.

— Pai!

— Não, Meg — disse a Sra. Quequeé. — Não culpo seu pai por sentir raiva, desconfiança ou medo. E não posso fingir que vamos fazer algo que não corresponde a correr o maior dos riscos. Devo reconhecer abertamente que há um risco fatal. Eu sei. Embora não acredite que isso vá acontecer. A Médium Contente também acredita que não.

— Ela não consegue prever o que vai acontecer? — perguntou Calvin.

— Ah, esse tipo de coisa, não. — A Sra. Quequeé pareceu surpresa com a pergunta. — Se soubéssemos o que vai acontecer antes do tempo, nós... nós seríamos como o povo de Camazotz, sem vida própria, com tudo planejado e resolvido por nós. Como posso lhe explicar? Ah, já sei. Na sua língua, vocês têm um tipo de poema chamado soneto.

— Sim, sim — disse Calvin, impaciente. — O que isso tem a ver com a Médium Contente?

— Tenha a cortesia de me escutar. — A voz da Sra. Quequeé saiu ríspida. Por um instante Calvin parou de arrastar a pata no chão como um potro nervoso. — É um poema com uma estrutura bem rigorosa, não é?

— Sim.

— São catorze linhas, creio eu, em pentâmetro iâmbico. É uma métrica ou um ritmo bastante rigoroso, certo?

— É, sim — concordou Calvin.

— E cada linha tem que terminar com uma rima. Se o poeta não fizer exatamente assim, não é um soneto, correto?

— Não é.

— Porém, dentro deste molde rigoroso, o poeta tem liberdade total para dizer o que quiser, não tem?

— Tem — concordou Calvin de novo.

— Então — disse a Sra. Quequeé.

— Então o quê?

— Ah, não seja bobo, garoto! — ralhou a Sra. Quequeé. — Você sabe perfeitamente aonde eu quero chegar!

— Quer dizer que a senhora compara nossas vidas a um soneto? Um formato rigoroso, mas com liberdade interna?

— Sim — disse a Sra. Quequeé. — Vocês têm o molde, mas precisam escrever o próprio soneto. O que dirão cabe apenas a vocês.

— Por favor — disse Meg. — Por favor. Se eu tenho que ir, quero ir agora e acabar com isso. Cada minuto que você nos faz perder torna isso mais difícil.

— Eella temm rrazzããoo — irrompeu a voz da Sra. Qual. — Esstáá naa hhooraa.

— Pode despedir-se. — A Sra. Quequeé não lhe estava dando permissão, mas sim uma ordem.

Meg fez uma mesura desajeitada às criaturas.

— Obrigada a todas. Muito obrigada. Sei que salvaram minha vida. — Ela não emendou com o que não parava de pensar: Salvaram para quê? Para AQUELE poder me pegar?

Ela envolveu Tia Criatura com os braços, apertando-se contra o pelo suave e fragrante.

— Obrigada — sussurrou ela. — Eu te amo.

— E eu amo você, pequena. — Tia Criatura apertou seus tentáculos suaves contra o rosto de Meg.

— Cal... — disse Meg, estendendo a mão.

Calvin veio até ela e tomou-lhe a mão, depois puxou-a para si e lhe deu um beijo. Ele não disse uma palavra e virou-se antes de ter a chance de ver a felicidade e a surpresa que brilharam nos olhos de Meg.

Enfim, ela virou-se para o pai.

— Me... me desculpe, Pai.

Ele tomou as mãos dela e ajoelhou-se para enxergá-la na sua miopia.

— Desculpas pelo quê, Megatron?

As lágrimas quase vieram a seus olhos ao ouvir seu antigo apelido.

— Eu queria que você fizesse tudo por mim. Que tudo fosse fácil e descomplicado... Então eu quis que tudo fosse culpa sua. Porque eu fiquei com medo e não queria fazer nada sozinha...

— Mas eu queria ir por você — disse o Sr. Murry. — É o que todo pai e toda mãe quer. — Ele olhou nos olhos escuros e assustados da filha. — Não vou lhe abandonar, Meg. Eu vou com você.

— Não. — A voz da Sra. Quequeé foi mais ríspida do que Meg jamais havia ouvido. — O senhor dará a Meg o privilégio de aceitar esse risco. O senhor é inteligente, Sr. Murry. E deixará que ela vá.

O Sr. Murry soltou um suspiro. Puxou Meg para perto.

— Pequena Megaparsec. Não tenha medo de ter medo. Teremos coragem por você. É tudo que nos resta. Sua mãe...

— A Mãe sempre quis que eu fosse do mundo — disse Meg.
— Ela ia querer que eu fosse. Você sabe. Diga a ela que... — ela começou a falar, travou, depois ergueu a cabeça e continuou. — Não, deixe para lá. Eu mesma digo.

— Boa, garota. Claro que vai.

Então, Meg deu uma volta devagar em torno da grande mesa até chegar onde a Sra. Quequeé estava, entre as colunas.

— A senhora vai comigo?

— Não. Somente a Sra. Qual.

— A Coisa Escura... — O medo fez a voz dela vacilar. — Quando o Pai me tesserou, ela quase me pegou.

— Seu pai é de uma inexperiência singular — disse a Sra. Quequeé. — Embora seja um homem de bem, a quem vale a pena ensinar. Por enquanto, ele ainda trata o tesserar como se estivesse operando uma máquina. Não deixaremos que a Coisa Escura pegue você. Creio que não.

Ouvir aquilo não foi exatamente reconfortante.

A visão e a confiança momentâneas que haviam acometido Meg agora vacilavam.

— Mas e se eu não conseguir livrar Charles Wallace d'AQUELE...

— Pare. — A Sra. Quequeé ergueu a mão. — Nós lhe demos dádivas da última vez que foi a Camazotz. Não deixaremos que vá de mãos vazias desta vez. Mas o que temos a lhe dar agora não é nada que possa tocar com as mãos. Eu lhe dou meu amor, Meg. Nunca esqueça. Meu amor, sempre.

A Sra. Quem, com os olhos brilhando por trás dos óculos, sorriu para Meg. Meg tocou o bolso do casaco e devolveu os óculos que havia usado em Camazotz.

— Seu pai tem razão. — A Sra. Quem pegou os óculos e escondeu-os nas dobras do seu manto. — Eles perderam as virtudes. E o que tenho a lhe dar desta vez você precisa entender não palavra por palavra, mas de um golpe só, tal como entendeu o tesserato. Ouça, Meg. Ouça atentamente: *A loucura de Deus é mais sábia que os homens; e a fraqueza de Deus é mais forte que os homens. Vede, irmãos, a vossa vocação, que não são muitos os sábios segundo a carne, nem muitos os poderosos, nem muitos os nobres que são chamados, mas Deus escolheu as coisas insensatas do mundo para confundir os sábios; e Deus escolheu as coisas fracas do mundo para confundir com as fortes. E as coisas ignóbeis do mundo, e as coisas desprezadas, escolheu Deus, assim como as coisas que não são, para reduzir a nada as que são.* — Ela fez uma pausa e depois falou. — Que vençam os justos! — Seus óculos pareceram dar uma piscadela. Atrás dela, através dela, uma das colunas ficou à vista. Viu-se um último cintilar dos óculos e ela sumiu. Meg olhou nervosa para o lugar onde a Sra. Quequeé estivera antes da Sra. Quem falar. Mas a Sra. Quequeé não estava mais lá.

— Não! — gritou o Sr. Murry, antes de correr na direção de Meg.

A voz da Sra. Qual apareceu entre o tremeluz.

— Nnãão ppoosso segguuraarr sssuaa mmão, crriiançcça.

Meg imediatamente foi lançada às trevas, ao nada, e depois ao frio gelado e voraz da Coisa Escura. *A Sra. Qual não vai deixar que ela me toque*, pensou ela várias vezes enquanto o frio da Coisa Escura parecia esmagar seus ossos.

Então, elas atravessaram e ela se viu de pé, sem fôlego, na mesma colina na qual eles haviam chegado em Camazotz. Ela estava com frio, um pouco atordoada, mas nada pior do que o que ela costumava sentir no inverno, em casa, depois de uma tarde patinando no lago. Olhou ao seu redor. Estava totalmente sozinha. Seu coração começou a palpitar.

Então, como algo que ecoava ao seu redor, surgiu a voz inesquecível da Sra. Qual.

— Eeuu nããoo lhhee ddeii miinnhaa ddáádivva. *Vvooccêê tteem aallgoo qquue AAQUUEELEE nããoo tteem.* Essttee aallggo éé ssuua úúnnicaa arrmmaa. Mmaas vvoccêê ddevve enncconnttráá-llaa ppoor ssi. — Então a voz cessou, e Meg soube que estava sozinha.

Ela foi descendo a colina devagar, o coração batendo dolorosamente contra as costelas. Lá abaixo, havia a mesma fileira de casinhas idênticas que eles já haviam visto, e, mais à frente, os prédios lineares da cidade. Ela caminhou pela rua silenciosa. Estava escuro, e a rua se encontrava deserta. Nenhuma criança jogando bola nem pulando corda. Nenhuma mãe às portas. Nenhum pai voltando do trabalho. Em cada casa idêntica, nas janelas idênticas, apenas uma luz acesa. Conforme Meg avançava pela rua, todas as luzes se apagaram simultaneamente. Seria por causa de sua presença ou era apenas a hora de apagar as luzes?

Além da raiva, da frustração e do medo, ela se sentiu entorpecida. Punha um pé à frente do outro com a devida regularidade, sem deixar que o passo se demorasse. Não pensava; não planejava; estava simplesmente caminhando devagar, porém firme, em direção à cidade e ao prédio em domo onde ficava AQUELE.

Agora, ela se aproximava dos prédios afastados da cidade. Em cada um deles, havia uma linha vertical de luz, mas uma luz fraca, fantasmagórica, não a luz cálida que iluminava as escadarias nas cidades do lugar onde ela morava. E não havia janelas bem iluminadas e isoladas onde alguém trabalhava até tarde, ou um escritório passando por faxina. De cada prédio saía um homem, quem sabe um vigia, e cada homem começava a percorrer toda a extensão do prédio. Pareciam não vê-la. De qualquer maneira, não lhe davam atenção alguma e ela passava entre eles.

O que eu tenho que AQUELE não tem?, surgiu-lhe o pensamento repentino. *O que será que eu tenho?*

Agora ela passava pelo prédio comercial mais alto. Mais linhas verticais de luz fraca. As paredes tinham um leve brilho, havia uma iluminação fraca nas ruas. A Inteligência Central CENTRAL estava à sua frente. Será que o homem dos olhos vermelhos continuava lá? Ou ele tinha permissão para ir para a cama? No entanto, não era àquele lugar que ela deveria dirigir-se, por mais que, em comparação ÀQUELE, o homem dos olhos vermelhos parecesse o cavalheiro bonachão que afirmava ser. Mas ele não tinha mais importância na busca por Charles Wallace. Ela precisava ir direto ÀQUELE.

AQUELE não está acostumado a sofrer resistência. O Pai disse que foi assim que conseguiu se safar, e como Calvin e eu conseguimos durar o tanto que duramos. O Pai me salvou. Agora não há ninguém aqui para me salvar. Eu mesma vou me salvar. Tenho que resistir ÀQUELE por conta própria. Será isso que eu tenho que AQUELE não tem? Não, tenho certeza que AQUELE tem como resistir. AQUELE só não está acostumado a ver os outros resistirem.

A Inteligência Central CENTRAL impedia o acesso ao fim da praça com seu enorme retângulo. Ela dobrou para dar a volta e, quase imperceptivelmente, seus passos diminuíram.

Não estava muito longe do grande domo que abrigava AQUELE.

Eu vou por Charles Wallace. Isso que é importante. É nisso que eu tenho que pensar. Queria me sentir entorpecida como eu me senti no início. E se AQUELE tiver ele em outro lugar? E se ele não estiver aqui?

De qualquer modo, tenho que ir lá primeiro. É o único jeito que tenho de descobrir.

Os passos dela ficaram cada vez mais lentos conforme ela passava pelas grandes portas de bronze, as imensas lajes do prédio da Inteligência Central CENTRAL, quando enfim viu à sua frente o estranho e pulsante domo d'AQUELE.

O Pai disse que não tem problema ter medo. Ele disse para deixar o medo existir. E a Sra. Quem disse... eu não entendi o que ela disse, mas acho que era para eu não me odiar por ser apenas eu, nem por ser do jeito que sou. E a Sra. Quequeé disse para que eu me lembrasse de que ela me ama. É nisso que eu tenho que pensar. Em não ter medo. Ou em não ser tão inteligente quanto AQUELE. Ser amada por alguém como a Sra. Quequeé é uma coisa grandiosa.

Ela chegou.

Por mais lentos que seus pés tivessem sido, ao fim eles a haviam levado até ali.

Logo à frente de Meg havia um prédio circular, as paredes brilhando com uma chama violeta, seu teto prateado pulsando com uma luz que parecia ser insana. Mais uma vez ela sentiu a luz, nem quente, nem fria, mas que se prolongava para tocá-la, que a atraía na direção d'AQUELE.

Depois de uma sucção abrupta, ela entrou.

Foi como se ela tivesse sido atingida por um vento. Tentou respirar, respirar no seu ritmo, não no da pulsação saturante d'AQUELE. Sentia o ritmo inexorável dentro do corpo, controlando seu coração, seus pulmões.

Mas não ela. Não Meg. AQUELE ainda não a havia dominado.

Ela piscou rápido e contra o ritmo até que a vermelhidão diante de seus olhos ficou mais clara e ela conseguiu enxergar. Lá estava o cérebro, lá estava AQUELE, pulsante e vibrante sobre o estrado. Delicado, exposto, repugnante. Charles Wallace estava agachado ao lado, os olhos ainda rodopiando devagar, o queixo ainda solto, como ela o havia visto antes, com um tique na testa reiterando o ritmo revoltante d'AQUELE.

Quando ela o viu, foi mais uma vez como se tivesse levado um soco no estômago, pois teve que se dar conta, mais uma vez, de que estava diante de Charles e, mesmo assim, alguém que não era Charles. Onde estava Charles Wallace, seu amado Charles Wallace?

O que eu tenho que AQUELE não tem?

— Você não tem nada que AQUELE não tenha — falou Charles Wallace, com frieza. — Que prazer tê-la de volta, cara irmã. Estávamos esperando por você. Sabíamos que a Sra. Quequeé iria enviá-la. Ela é nossa amiga, como sabe.

Por um instante de pavor, Meg acreditou. Naquele instante, sentiu AQUELE tentando tomar seu cérebro.

— NÃO! — gritou ela, com toda a força. — Não! É mentira!

Por um instante, ela viu-se novamente livre das garras d'AQUELE.

Desde que eu continue furiosa, AQUELE não vai me pegar.

Será que é isso que eu tenho e que AQUELE não tem?

— Que bobagem — disse Charles Wallace. — Você não tem nada que AQUELE não tenha.

— Mentira — respondeu ela, sentindo apenas raiva do garoto que não tinha nada de Charles Wallace. Não, não era raiva, era repugnância; era aversão, pura e simples aversão. E conforme ela foi perdendo-se no ódio, também começou a perder-se n'AQUELE. O miasma vermelho nadava diante de seus olhos; seu estômago revoltava-se n'AQUELE ritmo. Seu corpo tremulava com a força de sua aversão e a força d'AQUELE.

Com o último vestígio de consciência, ela sacudiu mente e corpo. Ódio não era o que AQUELE não tinha. AQUELE entendia tudo de ódio.

— Você está mentindo agora e mentiu sobre a Sra. Quequeé! — gritou ela.

— A Sra. Quequeé odeia você — disse Charles Wallace.

E este foi o erro fatal d'AQUELE. Pois foi aí que Meg respondeu automaticamente:

— A Sra. Quequeé me ama. Foi isso que ela me disse: que ela me ama. — E de repente ela entendeu.

Ela entendeu!

O Amor.

Era isso que ela tinha e que AQUELE não tinha.

Meg tinha o amor da Sra. Quequeé. E de seu pai, de sua mãe, o amor do verdadeiro Charles Wallace, e dos gêmeos, e da Tia Criatura.

E ela tinha o amor que sentia por eles.

Mas como usar esse amor? O que ela podia fazer?

Se ela pudesse amar AQUELE, talvez a coisa murchasse e morresse, pois ela estava certa de que AQUELE não suportava o amor. Mas ela, diante de tanta fraqueza e insensatez e torpeza e insignificância, era incapaz de amar AQUELE. Talvez não fosse algo demais a se pedir, mas não ela não conseguia.

No entanto, ela conseguia amar Charles Wallace.

Ela poderia, ali mesmo, amar Charles Wallace.

O seu Charles Wallace, o verdadeiro Charles Wallace, a criança pela qual ela havia voltado a Camazotz e ÀQUELE, o bebê que era muito mais que ela, e que, ainda assim, era totalmente vulnerável.

Ela poderia amar Charles Wallace.

Charles. Charles, eu te amo. Meu irmãozinho que sempre cuida de mim. Volte para mim, Charles Wallace, saia d'AQUELE, volte, volte para casa. Eu te amo, Charles. Ah, Charles Wallace, eu te amo.

As lágrimas escorreram pelo seu rosto sem que ela percebesse.

Agora, ela conseguia até mesmo olhar para ele, para aquela coisinha controlada que não tinha nada do seu Charles Wallace de verdade. Conseguia olhá-lo e amá-lo.

Eu te amo. Charles Wallace, você é meu amor e meu querido e a luz da minha vida e o tesouro do meu coração. Eu te amo. Eu te amo. Eu te amo.

A boca dele fechou-se aos poucos. Aos poucos, seus olhos pararam de rodopiar. O tique na sua testa encerrou a convulsão revoltante. Aos poucos, ele veio na direção dela.

— Eu te amo! — gritava ela. — Eu te amo, Charles! Eu te amo!

E, de repente, ele estava correndo, jogando-se, ele estava nos braços dela, gritando em meio ao choro.

— Meg! Meg! Meg!

— Eu te amo, Charles! — gritou ela de novo, o choro quase tão alto quanto o dele, suas lágrimas misturando-se às dele. — Eu te amo!

Eu te amo! Eu te amo!

Um rodopio de trevas. Um golpe frio e gélido. Um uivo raivoso, ressentido, que pareceu rasgá-la. Trevas mais uma vez. Em meio às trevas, para salvá-la, ela sentiu a presença da Sra. Quequeé e soube que não estava nas garras d'AQUELE.

E depois a sensação da terra sob si, de algo nos seus braços, ela rolando sobre os doces odores da terra outonal, e Charles Wallace gritava:

— Meg! Oh, Meg!

Agora, ela o abraçava mais forte, e os bracinhos dele se fechavam em volta do pescoço dela.

— Meg, você me salvou! Você me salvou! — repetia ele sem parar.

— Meg! — surgiu um grito, e lá estavam seu pai e Calvin, correndo em direção a eles, no escuro.

Ainda segurando Charles, ela fez força para levantar-se e olhar ao redor.

— Pai! Cal! Onde nós estamos?

Charles Wallace, segurando a mão dela com força, também olhando em volta, de repente riu. Aquela risada doce, contagiante e tão sua.

— Na horta dos gêmeos! E caímos no brócolis!

Meg começou a rir também, ao mesmo tempo que tentava abraçar o pai, abraçar Calvin, e não soltar Charles Wallace nem por um segundo.

— Meg, você conseguiu! — gritou Calvin. — Você salvou Charles!

— Estou muito orgulhoso, filha. — O Sr. Murry lhe deu um beijo sóbrio, depois voltou-se para a casa. — Agora tenho que ver a Mãe. — Meg percebeu que ele tentava controlar o nervosismo e a ansiedade.

— Olhem! — Ela apontou para a casa, e lá estavam os gêmeos e a Sra. Murry caminhando na direção deles no meio da grama úmida e comprida.

— Amanhã, a primeira coisa que eu vou fazer vai ser comprar uns óculos — disse o Sr. Murry, apertando os olhos contra o luar, e depois correndo na direção da esposa.

A voz de Dennys surgiu zangada do outro lado da grama.

— Ei, Meg! Hora de dormir!

Sandy gritou de repente:

— Pai!

Nisto, o Sr. Murry já estava correndo pelo gramado, a Sra. Murry vindo correndo em sua direção, e os dois viram-se um nos braços do outro. Depois, houve um tremendo amontoado de braços e pernas e abraços, os Murrys adultos, mais Meg,

Charles Wallace e os gêmeos. Calvin sorria ao lado do amontoado até que Meg esticou o braço e puxou-o para que a Sra. Murry lhe dar um abraço todo especial. Eles falavam e riam todos ao mesmo tempo, até que se assustaram com um estrondo. Fortinbrás, que não aguentava nem mais um segundo ficar de fora dessa felicidade toda, catapultou seu reluzente corpo negro para atravessar a porta de tela para a cozinha. Ele correu pela grama até entrar naquela alegria e quase derrubou todos com a exuberância da sua saudação.

Meg soube, naquele instante, que a Sra. Quequeé, a Sra. Quem e a Sra. Qual deviam estar por perto, porque ela sentia em tudo uma efusão de alegria e de amor que era ainda maior e mais profunda que a alegria e o amor que já existiam ali.

Ela parou de rir e ficou ouvindo. Charles também escutou.

— Shhh!

Então, ouviu-se um zumbido. A Sra. Quequeé, a Sra. Quem e a Sra. Qual estavam diante deles, e a alegria e o amor ficaram tão tangíveis que Meg sentiu que, se soubesse onde tocar, ela tocaria tais sentimentos com as próprias mãos.

A Sra. Quequeé falou, sem fôlego:

— Ah, meus queridos, desculpem por não termos tempo de nos despedirmos devidamente. Pois vejam que precisamos...

Mas eles nunca ficaram sabendo do que a Sra. Quequeé, a Sra. Quem e a Sra. Qual precisavam, pois uma rajada de vento surgiu do nada e elas desapareceram.

O DISCURSO DE AGRADECIMENTO PELA MEDALHA NEWBERY
O Universo em Expansão

Agosto de 1963

Para uma escritora de ficção, sentar-se e escrever um discurso — sobretudo um discurso no qual ela deve expressar a gratidão por uma das maiores honrarias de sua vida — é das tarefas mais difíceis com as quais ela pode defrontar-se. Ela não terá como esconder-se atrás da página impressa e deixar que os personagens falem por si; ela deverá ficar de pé diante de uma ilustre congregação de bibliotecárias, editores, *publishers*, escritores, e sentir-se nua, tal como por vezes nos sentimos em sonhos. E o que, então, ela dirá? Deveria apenas contar uma série de anedotas sobre sua vida e como aconteceu de ela escrever este livro? Ou ela deveria tentar ser profunda e escrever um discurso que entrará para as páginas da história, tão somente equiparável ao Discurso de Gettysburg? Ela deveria ater-se a trivialidades que tanto não ofendem ninguém quanto são desprovidas de conteúdo? Talvez ela tente seguir todas estas opções simultaneamente e depois rasgue tudo, sabendo que, caso não o faça, o marido o fará por ela, e decida apenas dizer algo que ela sente com muito ardor.

Não posso lhes dizer nada sobre os livros infantis que já não saibam. Não vim ensinar-lhes nada; vocês é que me ensinam. Posso apenas lhes dizer como o telefonema de Ruth Gagliardo a respeito da Medalha Newbery me afetou nos últimos anos.

Um dos meus grandes tesouros é a carta que o Sr. Melcher me remeteu, uma das últimas cartas que escreveu, falando da medalha, de como ele havia acabado de ler *Uma Dobra no Tempo* e de como ficara estimulado com a leitura. Era uma das qualidades que fazia dele o que era: a capacidade de ficar animado. Bertha Mahony Miller, no texto "Frederic G. Melcher — O John Newbery do Século XX", escreve que "O negócio da livraria está no material explosivo, apto a agitar a vida de modo incessante". Aqui, gosto de lembrar de outro Fred, o eminente cientista britânico Fred Hoyle, e sua teoria do universo, na qual a matéria está em criação contínua, sendo que o universo se expande, mas não se dissipa. Enquanto galáxias-ilhas espalham-se e distanciam-se eternidade adentro, novas nuvens de gases condensam-se e formam novas galáxias. Conforme morrem as estrelas antigas, nascem as novas. O Sr. Melcher vivia neste universo de criação e expansão contínuas. Seria impossível exagerar sua influência sobre os livros, particularmente sobre os livros infantis; seria impossível exagerar a influência que teve sobre quem lê livros, quem escreve livros, quem se entusiasma com os livros. Estamos aqui hoje por causa da visão deste homem, e seria injusto com sua memória não nos decidirmos por manter vivo este estímulo e sua capacidade de se ampliar, de mudar, de expandir.

Sou da primeira geração que tirou proveito da estimulação do Sr. Melcher, pois nasci pouco depois de ele criar o Prêmio Newbery e cresci com a maioria destes livros nas minhas estantes. Aprendi sobre a humanidade com Hendrik Willem van

Loon[1]; viajei com o Dr. Dolittle, criado por um homem que eu chamava de Hug Lofting[2]; Will James me ensinou o oeste com Smoky; no internato, peguei *Invincible Louisa* no exato instante em que chegou à biblioteca porque Louisa May Alcott havia nascido no mesmo dia que eu, assim como tinha as mesmas pretensões[3]. E, hoje, ser um minúsculo elo na extensa cadeia de autores como estes, homens e mulheres que me conduziram ao universo em expansão, é tanto uma honra quanto uma responsabilidade. É uma honra pela qual sou profundamente grata ao Sr. Melcher e àqueles entre vocês que decidiram que *Uma Dobra no Tempo* a merecia.

A responsabilidade levou-me a pensar seriamente nos últimos meses a respeito do tema da vocação, sendo esta responsabilidade acrescentada ao fato de eu estar trabalhando em um roteiro cinematográfico sobre uma freira portuguesa que viveu em meados do século XVII, que não tinha vocação, que foi seduzida e depois traída por um soldado mercenário francês e que, ao fim, no seu sofrer, encontrou a verdadeira vocação. Acredito que todos nós aqui temos uma vocação tão clara e vital quanto qualquer pessoa das ordens religiosas. Temos a vocação de manter o estímulo do Sr. Melcher vivo e conduzindo os jovens à imaginação em expansão. Devido à natureza do mundo em que vivemos, nossas crianças passam por uma carga pesada de temas científicos e analíticos na escola, de modo que é du-

---

[1] Holandês naturalizado norte-americano (1882-1944), autor de vários livros ilustrados para crianças — tais como A *história da humanidade*, primeira obra a receber uma Medalha Newbery, em 1922. [N.T.]

[2] Trocadilho da autora com o nome do autor Hugh Lofting e a palavra hug, "abraço". [N.T.]

[3] *Invincible Louisa* é a biografia da autora de livros infantis Louisa May Alcott (1832-1888), autora de, entre outros, *Mulherzinhas*. A biografia, escrita por Cornelia Meigs, foi premiada com a Medalha Newbery em 1934. [N.T.]

rante suas leituras de ócio, de prazer, que elas devem ser guiadas à criatividade. Há forças atuantes neste mundo tais quais nunca se viu na história da humanidade, forças que pregam a padronização, a arregimentação de todos nós, ou o que eu gosto de tratar como nossa *muffinização* — *muffins* que devem sair iguais a todos os outros *muffins* na fôrma. Este é o universo limitado, o universo que enxuga, que dissipa, que podemos guiar nossos filhos a evitar se lhes dermos "material explosivo, apto a agitar a vida de modo incessante".

Mas como fazemos isso? Não há como simplesmente sentar-se à máquina de escrever e produzir material explosivo. Fiz um curso na faculdade sobre Chaucer, um dos mais explosivos, mais criativos e de influência mais vasta entre todos escritores. E nunca esquecerei de chegar à última prova e ser questionada a respeito de como Chaucer utilizava certos recursos verbais, certos adjetivos, por que ele fazia determinados personagens comportarem-se de tal maneira. E escrevi, num acesso de fúria: "Não creio que Chaucer tivesse ideia alguma do porquê de escrever desse modo. Não é assim que as pessoas escrevem."

Hoje acredito no que escrevi de modo tão veemente quanto na época. A maior parte do que é bem-feito na escrita não se dá propositalmente.

Quero dizer, portanto, que um autor deveria ficar sentado como um zen-budista fajuto em seu apartamento, bebendo infinitas xícaras de espresso e aguardando que a inspiração caia dos céus? Também não é assim que trabalha o escritor. Uma vez ouvi um famoso autor dizer que o mais difícil em escrever um livro era obrigar-se a sentar-se diante da máquina de escrever. Entendo o que ele quis dizer. A não ser que o escritor trabalhe constantemente para aprimorar e refinar as ferramentas do seu ofício, estas serão instrumentos inúteis se e quando o momento da inspiração, ou da revelação, chegar. É neste momento que se fala através do escritor, o momento em que o escritor deve aceitar, com graça e humildade, e então tentar, da melhor maneira possível, comunicar-se com outros.

O escritor de fantasia, contos de fadas ou mitos inevitavelmente virá a descobrir que não escreve a partir de seu próprio conhecimento ou experiência, mas a partir de algo mais profundo e mais vasto. Sou da crença de que a fantasia deveria possuir o autor e dele fazer uso. Sei que isto é válido em se tratando de *Uma Dobra no Tempo*. Eu não teria como lhes dizer como consegui escrever o livro. Era simplesmente o que eu tinha que escrever. Não tive escolha. E foi só após escrever que eu entendi o que ele, em parte, queria dizer.

São pouquíssimas as crianças que têm problemas com o mundo da imaginação; é o mundo delas, o mundo de seu cotidiano, e quem perde somos nós ao crescermos e dele nos afastarmos. É provável que o grupo aqui, hoje, seja o grupo menos crescido e afastado que se pode ter em um só lugar, pela própria natureza do nosso ofício. Nós também conseguimos entender como Alice foi capaz de atravessar o espelho e chegar do outro lado; quantas vezes nossos filhos fizeram quase a mesma coisa? E é claro que todos entendemos as princesas. Já não fomos todas contundidas por ervilhas? E a princesa que cuspia sapos e cobras sempre que abria a boca, e a outra, cujos lábios disparavam peças de ouro puro? Todos já tivemos dias em que tudo que falamos pareceu transformar-se em sapos. Os dias de ouro, todavia, não nos ocorrem com tanta frequência.

O que a criança não percebe até crescer é que, ao reagir à fantasia, ao conto de fadas e ao mito, ela reage ao que Erich Fromm chama de linguagem universal, a primeira e única língua no mundo que cruza todas as fronteiras de tempo, espaço, raça e cultura. Muitos livros premiados pela Medalha Newbery são desta seara, a começar pelo Dr. Dolittle; os livros dos mitos hindus, do folclore chinês, da vida de Buda, os contos dos indígenas norte-americanos, os livros que fazem nossos filhos atravessarem qualquer fronteira e chegarem à linguagem da humanidade.

No princípio, Deus criou o céu e a terra... O que há de extraordinário, o que há de maravilhoso no Gênesis não está no que ele foge da ciência, mas em como ele é incrivelmente preciso. Como os israelitas da antiguidade saberiam da ordem exata da evolução se ela só seria formulada dali a milhares de anos? Eis uma verdade que transpõe barreiras de tempo e espaço.

Mas quase todos dos melhores livros infantis fazem justamente isto. Não apenas *Alice no País das Maravilhas*, *O Vento nos Salgueiros* ou *A Princesa e o Goblin*. Até os contos mais simples contam mais do que aparentam à superfície. *Mulherzinhas*, *O Jardim Secreto*, *Huckleberry Finn* — encontra-se neles muito mais do que percebemos à primeira leitura. Eles partilham da língua universal. É por isso que a eles nos voltamos repetidamente quando somos crianças, e novamente quando crescemos.

No topo da Montanha Mohawk, no norte de Connecticut, fica uma rocha grande e plana que retém o calor solar muito após o pôr do sol tardio deixar o céu. Lá fazemos nosso piquenique, deitamos na rocha e observamos as estrelas. Uma delas pulsa devagar no azul profundo, depois outra, mais outra e mais outra, até o céu ser tomado por elas.

Um livro também pode ser uma estrela, material explosivo, apto a agitar a vida de modo incessante, um fogo vivo que alumia as trevas, que nos conduz ao universo em expansão.

POSFÁCIO

Dado que, com esta edição, *Uma Dobra no Tempo* comemora seu quinquagésimo aniversário, é difícil crer que o livro quase não foi publicado.

Em 1960, quando o manuscrito circulava pelas editoras, os avaliadores não sabiam o que tirar daquele texto. Foi o que levou à negativa de vários (o número exato é desconhecido). A trama não se encaixava nas categorias usuais. Contudo, depois que ele chegou à atenção de John Farrar e a editora Farrar, Straus and Giroux (então chamada Farrar, Straus and Cudahy) decidiu apostar na publicação, em 1962, leitores de todas as idades responderam com entusiasmo. O livro que desafiava categorização já durou mais de meio século e encontra novos leitores a cada geração. Qual é o segredo? E que tipo de pessoa produziria um livro destes?

Minha avó, Madeleine L'Engle, nasceu em Nova York em 1918. Sua mãe era uma pianista de sucesso; seu pai, jornalista e escritor. Filha única que nasceu tarde no casamento dos pais, quando os dois já tinha suas rotinas, minha avó teve uma infância tanto refinada quanto solitária. Como a própria con-

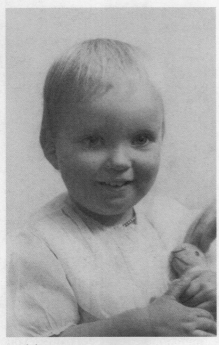

Madeleine, aprox. 1920

tava, ela não se destacou no colégio logo de saída e preferia as consolações e prazeres solitários da leitura e da escrita ao convívio com os colegas.

Os pulmões do pai traziam as marcas do gás que respirou na Primeira Guerra Mundial. Quando sua saúde começou a ficar debilitada, a família mudou-se para os Alpes franceses, onde se achava que o ar seria salutar. Depois de um verão de liberdade, rondando a zona rural sozinha (aprovisionada, como lembrava afetuosamente, com pão duro, manteiga sem sal e chocolate amargo), ela foi largada sem sobreaviso em um internato suíço. Foi uma experiência traumática e formativa, como ela escreveu em *And Both Were Young* [E Ambos Eram Jovens]. O livro foi sua demonstração precoce do que acabou virando uma enorme dádiva para negociar dores e contratempos, transformando-os em narrativas.

Três anos depois de mandar minha avó para o internato, a família voltou aos Estados Unidos e estabeleceu-se em Jacksonville, Flórida (onde a mãe dela havia nascido). Minha avó foi para um internato feminino em Charleston, Carolina do Sul. Desta vez ela estava mais à vontade com seus dons e, por conseguinte, desabrochou.

Ela formou-se no colegial e entrou no Smith College (Betty Friedan[4] foi sua colega), onde foi muito ativa no grêmio estudantil e nos círculos de literatura e teatro. Depois de formar-se em Letras, ela voltou à Nova York da infância e achou um minúsculo apartamento no Greenwich Village. Logo conseguiu trabalho de atriz substituta e teve alguns papéis pequenos na Broadway, todos os quais entendeu como ótimo preparo para uma aspirante a romancista e dramaturga. Foi nestes tempos que ela escreveu e publicou seu primeiro livro, *The Small Rain* [A Pequena Chuva] (1945), seguido do segundo, *Ilsa* (1946).

Madeleine, aprox. 1935

Durante uma produção de *O Jardim das Cerejeiras* de Chekhov, ela conheceu um belo colega ator, Hugh Franklin, jovem de Oklahoma que estava encontrando seus caminhos no teatro. O encanto foi mútuo; eles casaram-se em 1946.

Em 1947 nasceu a primeira filha, minha mãe. Um ano depois, os recém-pais tomaram a decisão radical de abandonar "pa-

Madeleine e Hugh após o casamento em 1946

---

[4] Escritora norte-americana (1921-2006), autora de *Mística Feminina*. [N. do T.]

O secos e molhados em Goshen, Connecticut

ra sempre" as demandas da vida teatral e optar por uma vida familiar mais convencional. Compraram uma casa que batizaram de Crosswicks, na zona rural de Connecticut, onde cuidavam do secos e molhados local e criaram sua família. Em retrospecto, não tenho certeza se eram as pessoas certas ou se estavam preparados para essa nova vida. Os dez anos que se seguiram, aliás, provaram-se difíceis e dolorosos para minha avó. Trocar a energia de Nova York e o estímulo do teatro pela vida em uma cidadezinha com seus padrões de comportamento rígidos e as normas claras das lides domésticas foi um ajuste tão sofrido quanto o que ela sofreu ao ser abandonada no internato. Todavia, com seu ardor característico e a noção inata de que era possível tirar o melhor de tudo, Vovó imergiu na vida local. Dirigiu o coral da igreja, participou do teatro comunitário e ajudava no mercadinho. E ainda criou sua família, que foi crescendo com a chegada de um filho e mais uma filha, enquanto seguia a escrever.

Ela contou muitas vezes que este período foi de nada mais que negativas das editoras. Não é de todo verdade: *And Both Were Young* saiu em 1949, *Camilla Dickinson*, em 1951, e *A Winter's Love* [Um Amor de Inverno], em 1957. Mesmo assim, ela seguia incansável, frequentemente insatisfeita, e relutava com a culpa que sentia pelo tempo que passava escrevendo — já que não havia, pensava ela, nenhum retorno para mostrar aos outros; nada de dinheiro, nem de reconhecimento, nenhuma validação que aplacasse sua sensação de fracasso profissional.

Também não se viam a crosta perfeita nas tortas nem a habilidade no corte e costura.

Ela lembrava que, quando buscou respostas para uma crise existencial, o pastor da sua igreja lhe recomendou ler os teólogos alemães; mas as leituras, oras, só lhe deram sono. Então, por um feliz acaso, ela começou a ler obras de físicos — Albert Einstein, Max Planck, Werner Heisenberg. O trabalho deles revelava uma nova visão do universo, uma perspectiva menos convencional, que não era aparente à nossa experiência cotidiana. Isto repercutiu na noção que ela tinha das coisas. Em seus escritos, minha avó percebia a reverência diante da beleza das leis do universo, assim como do entendimento cada vez maior e mais complexo a respeito do mesmo, que lhe dava a sensação de significado e pertença. Esta visão afirmou a sua própria e tornou-se uma abertura para uma realidade transcendente, informando sua perspectiva singular em *Uma Dobra no Tempo*.

Para alívio de minha avó, meu avô resolveu que queria voltar a atuar em Nova York no segundo semestre de 1959. No meio do ano, a família fez uma viagem de dez semanas, cruzando o país e parando para acampar. Foi nesta viagem que começou a germinar a ideia de *Uma Dobra no Tempo*. Ao andar pela paisagem do Deserto Pintado, tão diferente da Nova Inglaterra e do norte da Flórida de sua infância, brotaram na cabeça de minha avó os nomes Sra. Quequeé, Sra. Quem e Sra. Qual. Ela contou aos três filhos — de doze, dez e sete anos — que teria que escrever um livro sobre aquelas mulheres. Quando a viagem acabou, meu avô retomou a carreira de ator — interpretando o pai numa produção de *O Diário de Anne Frank* — e minha avó permaneceu em Connecticut para os filhos começarem o colégio enquanto o patriarca se estabelecia na cidade grande. O primeiro esboço de *Uma Dobra no Tempo* derramou-se dos dedos da minha avó durante os três meses que ela passou sozinha com os filhos.

O agente dela à época, Theron Raines, adorou o livro e ajudou-a em duas ou três versões. Meu avô também serviu de editor firme e competente. Vovó lia capítulos e trechos aos filhos, e o entusiasmo deles por "o que viria a seguir" também lhe serviu de incentivo. Mas ela não havia decidido escrever um "livro infantil", nem um "livro de fantasia" — o que ela escreveu foi para sua própria satisfação. Alguns editores recusaram o manuscrito com os seguintes comentários:

"Se fosse de fantasia e mais curto, seria diferente... recomendaria à autora fazer alguns cortes — pela metade."
"A meu ver, não há muito valor narrativo."
"É um meio termo entre o livro adulto e o juvenil."

Ela foi aconselhada a tornar o livro mais acessível para que as crianças pudessem entender, a modificar a trama, a modificar os personagens, a modificar o livro inteiro. Ficou tentada. A ânsia de seguir o mando dos editores ficou mais aguda quando tanto agente quanto marido sugeriram que talvez ela devesse fazer o que os editores pediam. Talvez, sugeriram eles, ela estivesse sendo teimosa. É certo que ela *era* teimosa, mas, embora escrevesse para satisfação própria e não para o grande público, ela também, como disse, era "servil à obra" e como tal não tinha autoridade para mexer no livro.

Agora de volta a Nova York, com os filhos no colégio e o marido a cumprir horas longas e não convencionais no teatro, ela empenhou-se novamente em tomar um rumo. Depois de um ano de negativas de várias editoras, ela pediu a seu agente para recuperar o manuscrito, insistindo que tantas recusas doíam demais, e que ninguém ia entender aonde o livro queria chegar. Então, numa festa que fez em homenagem à mãe durante o período de Natal, um amigo insistiu que ela enviasse o manuscrito a John Farrar. Ele havia lido e admirado o primeiro livro dela, por isso Vovó sentiu-se com o devido incentivo para tratar com o *publisher*. Ele gostou do manuscrito, mas, por garantia, enviou a um avaliador externo. O documento voltou com este bilhete: "Acho que é o pior livro que já li, lembra *O Mágico de Oz*." John Farrar merece os créditos, pois foi este comentário que o levou a publicar *Uma Dobra no Tempo*.

A FSG não tinha esperança de vendas altas, mas a editora arriscou-se com o retorno baixo porque acreditava no livro e em Madeleine L'Engle como escritora. O editor encarregado, Hal Vursell, enviou a seguinte carta para coletar frases de apoio:

> *This is the letter we wrote to Aguiar, Barton, LaCatherine etc.*
> *Hal*
>
> November 3, 1961
>
> Mr. John Crosby
> 141 East 88th Street
> New York, New York
>
> Dear Mr. Crosby,
>
> Madeleine L'Engle, whose MEET THE AUSTINS is on the A.L.A.'s List of Notable Children's Books of 1960, has written a book very different in kind, called A WRINKLE IN TIME. It rather defies classification in that it could be called science fiction, or a fable, or even a parable. It's distinctly odd, extremely well written, and is going to make greater intellectual and emotional demands on 12 to 16 year olds than most formula fiction written for this age group.
>
> I suppose it will be a hard book to sell, but I for one believe that the capabilities of young readers are greatly underestimated by most of the people currently evaluating books for children. Therefore, I am writing to a small group of people whose interest in this matter I know to be both serious and informed. I would like your permission to send you a set of galleys, and it is my hope that if you share my enthusiasm for this book, you will allow me to quote you.
>
> Sincerely yours,
>
> H. D. Vursell
> Vice President
>
> abm

Carta de Hal Vursell

[Obs. a lápis: *Esta é a carta que enviamos a [Isaac] Azimov [sic], [May] Sarton, [Eva] Le Gallienne etc. -- Hal*]

3 de novembro de 1961

Sr. John Crosby
141 East 88th Street
Nova York, Nova York

Caro Sr. Crosby,

Madeleine L'Engle, cujo livro MEET THE AUSTINS encontra-se na Lista de Livros Infantis Notáveis de 1960 da A.L.A., escreveu um livro de sorte muito distinta, chamado UMA DOBRA NO TEMPO. Ele opõe-se a categorizações, dado que pode ser chamado de ficção científica, de fábula ou mesmo de parábola. Tem uma estranheza particular, é extremamente bem escrito e exigirá mais, em termos intelectuais e emocionais, de leitores dos 12 aos 16 anos do que as outras ficções formulaicas que se escreve para esta faixa etária.

Imagino que será um livro difícil de se vender, mas, da minha parte, acredito que as capacidades dos jovens leitores são muito subestimadas pela maioria das pessoas que avalia livros para crianças atualmente. Desta maneira, estou correspondendo-me com um pequeno grupo cujo interesse neste assunto sei ser tanto sério quanto bem informado. Gostaria da sua autorização para enviar um kit de provas de impressão, e espero que, se compartilhar do meu entusiasmo por este livro, você permitirá que eu cite-o.

Atenciosamente,

H. D. Vursell
Vice-Presidente

A fé que a editora depositou em *Dobra* foi mais do que recompensada quando o livro tornou-se sucesso imediato de crítica e público, ganhando a Medalha Newbery em 1963.

As pessoas costumam me dizer: "Ela deve ter sido uma avó incrível." É claro que foi. No ensino fundamental, lembro de falar com vontade e com orgulho do nosso parentesco, de avisar a colegas e professores que foi minha avó que escreveu — e ficar a postos para a onda de incredulidade e admiração que se seguia. No ensino médio, porém, me opus ao interesse e a curiosidade que a fama da minha avó atraía, com medo que toda essa atenção expusesse minhas inadequações e desmerecimentos.

Ruth Gagliardo (presidente do Conselho do Prêmio Newbery-Caldecott) e Madeleine, 1963

Não obstante, nós éramos muito próximas, tal como costumam ser avós e netas. Eu e minha irmã, Léna Roy, temos só um ano de diferença; irmão e primos vieram muito depois. Tivemos a oportunidade de cultivar uma relação profunda e especial com nossa avó. Morei com ela do fim da adolescência até os vinte e poucos anos, pois me mudei para o amplo apartamento do

Léna (à esquerda), Madeleine e Charlotte, aprox. 1976

Madeleine e Charlotte, 1996

Upper West Side imediatamente depois de me formar no ensino médio, em 1986. Na época, ela e meu avô haviam ido passar o verão em Crosswicks; ele morreu naquele outono depois de uma curta batalha contra o câncer. Nos quinze anos que se seguiram, ela sempre deixou apartamento e vida abertos a amigos, alunos e netos. Ela estava sempre em movimento.

Embora sua agenda de viagens fosse exaustiva e sua vida doméstica, caótica, ela adorava sentir-se procurada e ocupada. Achava que tinha grande responsabilidade para com leitores e alunos. Às vezes eu a ajudava com a agenda e com as cartas dos fãs. Ela chegava a receber duzentas cartas em uma semana. Lia e respondia *cada uma* enquanto pôde, com respeito e atenção profunda diante do que compelia seus leitores a corresponderem-se com ela.

Embora a maior parte do retorno que minha avó recebeu ao longo dos anos tenha sido positiva, ela também recebeu missivas de medo e até de ódio. *Uma Dobra no Tempo* tem sido um dos livros mais controversos e mais banidos em bibliotecas e colégios nos Estados Unidos. Vovó ficou atônita com as acusações, da parte de alguns grupos cristãos, de que o livro exaltava a bruxaria ou o espiritualismo *new age*. Por outro lado, ficou igualmente desconcertada com as críticas que o acusavam de livro escancaradamente cristão. Para os fundamentalistas, o livro era "herege". Para os literalistas que temem a natureza essencialmente metafórica da linguagem, era a proscrição. Ela virou antagonista do mesmo pessoal que mais tarde ia querer botar os livros de Harry Potter na fogueira.

Uma das críticas que a deixou mais chateada foi a frustração dos leitores com o que acabou sendo de Meg — no caso, a falta de vocação profissional da personagem. Minha avó sempre afirmou que seus livros sabiam mais do que ela, e que ela escrevia para descobrir e conhecer suas personagens, não para obrigá-las a agir de tal e tal forma. Embora nunca tenha escrito uma "série" conforme a terminologia atual (ela preferia o termo "livros associados"), ela adorava as personagens e queria descobrir o que aconteceu com elas. Ela escreveu sobre os O'Keefe (pois, sim, Meg e Calvin se casam) em vários livros após o Quinteto do Tempo. Meg, Calvin e seus sete filhos moram em lugares remotos onde Calvin pode ter privacidade para suas pesquisas sobre regeneração celular, que podem causar celeuma política. Meg — a menina genial, corajosa, feroz — é sua assistente laboratorial e cria os filhos. Isto incomodou muitas e muitas leitoras. Quando pressionada, minha avó afirmava que a promessa do feminismo era, em parte, que, se uma mulher podia ter liberdade para focar atenção na carreira, ela também teria liberdade para focar-se na família.

Minha avó deixou a primeira versão inacabada de um livro com o título provisório *O Olho Começa a Ver* (em referência ao poema "Em Tempos Escuros", de Theodore Roethke), no qual Meg se ajusta ao crescimento das crianças e a elas saindo de casa (Polly, a mais velha, faz faculdade de medicina; Rosy, a mais jovem, tem dez anos). Meg tenta achar sentido nas escolhas dela e domar o nervosismo em relação ao que fazer da próxima fase da vida, quando as responsabilidades diárias com as crianças acabarem:

Meu pai fascina meus filhos com suas discussões sobre heliocápsulas, pequenos estouros de energia que o sol dispara, que atingem os limites do espaço sideral e repicam. Também me fascina.
— Então existe uma definição entre espaço e não espaço? — pergunto.
— O que é não espaço, Meg? — meu pai me pergunta.
Respondo com mais perguntas. — Existem espaços entre os universos? Tem como algo imensurável ser não espaço?
— Pense nisso — sugere minha mãe.
Nunca houve tempo, mas está chegando o tempo em que vai haver tempo.

Agora que cheguei aos quarenta e poucos, minha simpatia pelas opções e pelo nervosismo de Meg só fica maior. Ela tinha muitas expectativas a cumprir.

Embora exista muito em termos de referências culturais que fixam os fatos de *Uma Dobra no Tempo* em um dado momento histórico, minha avó escreveu o livro numa época em que a ameaça da guerra nuclear era muito real. Por isso, a descrição do planeta Camazotz tem sido lida como alerta quanto ao comunismo soviético e quanto ao totalitarismo em sentido mais amplo. Mas não existe alegoria nem correlação simplista. Longe da Guerra Fria, o livro também pode ser lido como resposta a outro vórtex cultural e político significativo. Sempre percebi ecos do movimento pelos direitos civis no momento em que Meg tem aquela revelação: *"iguais* e *idênticos* não são a mesma coisa".

Comparar versões do manuscrito é tanto instrutivo quando enlouquecedor. Não existe manuscrito completo editado, não há datas nas páginas nem nos fragmentos, e é difícil reconstruir a cronologia de revisões. Parece, contudo, que o manuscrito foi basicamente fixado assim que começou a circular pelas editoras. O contrato original do livro traz o título "Sra. Quequeé, Sra. Quem e Sra. Qual", o que significa que o título mudou mais à frente; Vovó sempre creditou sua mãe pelo título "Uma Dobra no Tempo". Outras revisões vão da gramática (gerúndios viram verbos e vice-versa), variações de narração descritiva para expositiva, e mudanças de vocabulário e nomenclatura ("matar" vira "vencer"; Sr. Jennings e Sra. Newcombe tornam-se Sr. Jenkins e Sra. Buncombe; "encantador" vira "extraordinário"). Há uma nota na página titular dizendo que "tesserato" talvez não seja um termo de domínio público e que ela deveria substituí-lo por "*sceortweg*" e "*sceortar*". Segundo outra anotação neste manuscrito, ela alterou a idade da Sra. Quequeé de 625.379.152.497 anos, 8 meses e 3 dias pra 2.379.152.497 anos, 8 meses e 3 dias porque "o universo, segundo Isaac Asimov, tem apenas 5 ou 6 bilhões de anos". Nas primeiras versões, Meg e a mãe conversam bem mais sobre Charles Wallace. Ao invés de chamar Charles Wallace apenas de "novo" tal como na versão final, a Sra. Murry chama-o de "mutante" e sugere que ele é o novo passo na evolução da consciência humana.

As revisões mais significativas são as dos capítulos 8 e 9, os que se passam no planeta Camazotz. Nas primeiras versões, passa-se mais tempo explicando as engrenagens da comunicação entre os seres (como e por que gente de Camazotz fala e entende inglês?) e sugere-se a história da evolução no planeta alienígena. Quando Calvin, Meg e Sr. Murry fazem seu tesserar apressado de Camazotz a Ixchel, o sr. Murry tenta explicar a Meg e Calvin a natureza da Coisa Escura e de AQUELE. Hoje sua tese tem ressonância estranha, propondo que um planeta pode virar escuro por causa do totalitarismo (e ditadores nos dois polos do espectro político são citados nominalmente). Mas um planeta também pode escurecer por conta do "Forte desejo de segurança o maior mal que existe". Meg contrapõe-se à análise do pai. Qual é o problema de querer ter segurança? O Sr. Murry insiste que a "ânsia por proteção" obriga as pessoas a fazerem escolhas falsas e entrarem em pânico na busca por segurança e conformismo. Isto me lembrou que minha avó ficava muito chateada quando alguém vinha falar do "poder do amor". O amor, insistia minha avó, não é um poder, pois ela considerava que todo poder é coercitivo. Amar é ser vulnerável; e é apenas ao ser vulnerável e ao correr riscos — e não com a segurança — que superamos as trevas.

Estas alterações e revisões nos vários manuscritos, creio eu, deixaram o livro mais sutil, mais aberto à imaginação e às inferências individuais; e assim, portanto, mais duradouro. Elas abriram espaço para explorar temas mais vastos sem se distrair com detalhes e explicações que podiam ter abafado as reações e interpretações individuais que têm sido tão ricas e tão consagradas. Muitos dos temas do livro também surpreendem pela contemporaneidade, falando direto com uma cultura e mundo em revolta e em fluxo, cheio de mudanças que nos assustam porque podem tornar-se opressoras e não libertárias.

É compreensível que *Uma Dobra no Tempo* tenha tido dificuldades para achar editora há cinquenta anos, dado que permanece uma anomalia até hoje — e ainda desafia categorização. Foi exatamente esta singularidade, o modo como ele se destaca do ordinário, o motivo pelo qual ele também foi e é tão lido e tão amado. Alguns têm medo: o livro ainda é aviltado e atacado. Ao mesmo tempo, no panorama atual tão diverso, tanto da ficção científica quanto da ficção *young adult*, seu misto de conceitos científicos e espirituais e seu otimismo descarado podem parecer muito dóceis ou ingênuos. O que fez o livro alcançar o sucesso em 1962, contudo, é o mesmo que o manteve nas listas de leitura desde então: ele propõe um suspense bem amarrado, com personagens interessantes e peculiares, mas com os quais o leitor ainda consegue se identificar.

Também acho que a forma exuberante e inequívoca como Vovó adotou imagens e linguajares tanto da ciência quanto da espiritualidade para lidar com questões de sentido é algo revigorante e sedutor. Leitores de qualquer idade conseguem integrar estes aspectos. Além disso, minha avó nos deu protagonistas que são heróis não apesar de suas imperfeições, mas por causa delas. No geral, Meg e Calvin são bem ordinários. E ainda assim eles têm capacidade e força para tomar decisões difíceis, para se ajudar e para salvar o universo. Afinal de contas, quantos de nós vamos descobrir que temos poderes mágicos ou que nascemos semideuses? Independente disto, talvez um dia descubramos que seremos convocados a aceitar nossas falhas, a arriscar-se a sermos vulneráveis e, no andar das coisas, vencer as trevas.

Charlotte Jones Voiklis

A série *Uma dobra no tempo*:

Uma dobra no tempo
Um vento à porta
Um planeta em seu giro veloz
Muitas águas
Um tempo aceitável

Este livro foi impresso pela Santa Marta, em 2024, para a HarperCollins Brasil. O papel do miolo é pólen natural 80g/m², e o da capa é couchê 150g/m².